Lya Luft | *Múltipla escolha*

Lya Luft | *Múltipla escolha*

2ª EDIÇÃO

2010

CIP-Brasil. Catalogação-na-fonte
Sindicato Nacional dos Editores de Livros, RJ.

L975m Luft, Lya, 1938-
2ª ed. Múltipla escolha / Lya Luft. – 2ª ed. – Rio de Janeiro: Record, 2010.

ISBN 978-85-01-08952-6

1. Luft, Lya, 1938-. 2. Ensaio. I. Título.

10-0248 CDD – 158.1
CDU – 159.947

Projeto gráfico original: Evelyn Grumach e Carolina Ferman

Texto revisado segundo o novo
Acordo Ortográfico da Língua Portuguesa

EDITORA RECORD LTDA.
Rua Argentina 171 • 20921-380 • Rio de Janeiro, RJ • Tel.: 2585-2000

Impresso no Brasil

ISBN 978-85-01-08952-6

Para Vicente.
Para Susana e Álvaro com Isabela, Fabiana e Fernanda;
para André e Mana com João Pedro e José Arthur;
para Eduardo e Carina com Marco Antônio e Rodrigo.

Há muitas maneiras de encarar a nossa existência: como um trajeto, um naufrágio, um poço, uma montanha. Tantas visões quantos seres pensantes, cada um com sua disposição: cética, otimista, trágica ou indiferente.

Neste livro ela é um teatro, e um cenário com muitas portas, que estavam ali ou que nós desenhamos. Algumas só se abrem, outras só se fecham; outras ainda se escancaram sobre um nada.

Quando abrimos uma delas — nossa múltipla escolha — é que se delineia a casa que chamamos nossa existência, e começam a surgir os aposentos onde vamos colocar mobília, objetos, janelas, pessoas, um pátio que talvez leve a muitos caminhos.

Somos autores e personagens dessa cena complexa. Nos vestimos nos camarins, rimos ou choramos atrás das cortinas. Também vendemos entradas; às vezes vendemos a alma.

Este pequeno ensaio fala sobre alguns mitos da nossa cultura, que, embora criados por nós, dificultam essa tare-

fa existencial. Fala também de audácia e fervor, e de alegria quando escapamos dessas armadilhas e nos construímos do jeito que dá.

Utopia, romantismo ou real possibilidade, as primeiras páginas de cada livro entreabrem a cortina: dos dois lados do palco, meu leitor e eu trocamos sinais.

(Gramado, O Bosque)

Roteiro

1 | *Abrindo a cortina*

Pintei o cenário
e o coloquei no prumo;
varri a plateia,
arrumei os bastidores.
No camarim, frutas e champanha:
eu seria a personagem principal.
Depois repassei minhas falas,
provei minhas fantasias,
e me pus a chorar:
numa escada invertida,
nem em cima
nem embaixo,
passavam estranhas figuras,
grandes demais para mim.

(Eu andava pelo palco,
sem sapatos nem rumo.)

Na sala dos pensamentos, *que é um grande teatro, senta-se na beira do palco, pernas curtas balançando tristemente no ar, um boneco desengonçado. Tem cabeça grande demais, cabelo ralo e espetado. Quando me vê, estende umas mãozinhas patéticas de quem pede ajuda.*

Inclino-me para ele, respiro de leve para não o derrubar:

— O que foi?

Ele me encara. Não parece ter medo. Sua voz é tão fraca que mal escuto.

Ele diz:

— E agora, e agora?

Não sei do que está falando, mas estendo um dedo, que ele agarra com sua patinha de rã. Não acho estranho: o estranho é tudo parecer tão natural. Pergunto, ainda controlando o tom de voz para que ele não se assuste:

— O que foi, o que você quer?

Ele aponta para o palco atrás de si:

— Faço o que posso, eu corro de lá para cá, olho essas portas, não sei o que escolher, tenho medo de que tudo dê errado — conclui quase chorando.

Sinto vontade de dizer: "esse sentimento eu conheço!", mas fico calada e olho o palco: o chão não é um assoalho comum. Parece um tabuleiro de xadrez. Então vejo o que o assusta: no cenário há várias portas, que se repetem mais atrás, e mais ainda, numa perspectiva que confunde. Entre elas deslizam, como sobre rodinhas, grandes figuras sombrias parecendo as estátuas da Ilha de Páscoa. Em vez de rostos, máscaras inexpressivas ou malignas.

Entram no palco, escondem-se outra vez: brilhos de lantejoulas no escuro.

Sento-me na primeira fila e observo. Elas se ocultam e reaparecem, trocam de posição ocupando vários lugares nos quadrados brancos e pretos do assoalho. Sem que se vejam seus braços, manipulam por cordas transparentes o pobre boneco, que corre pelo palco: tem de abrir uma das portas, mas não sabe o que fazer.

Essas figuras que o controlam são mitos que inventamos, que assumiram o poder, e agora nos dominam. Quando éramos seres mais primitivos, esses mitos, invenções nossas, deveriam abrandar nossas dúvidas e temores, explicando o que não conseguíamos entender: fenômenos da natureza, nascimento e morte, nossos impulsos de destruição ou sexo, o giro dos astros, o desejo de segurança e de imortalidade.

Hoje, essas solenes figuras foram substituídas pela sua descendência medíocre: os nossos enganos, modernos mitos criados para abafar nossa angústia e disfarçar nossa futilidade. Seu pai é o medo, suas ajudantes são as mentiras, que atrás das máscaras de papelão riem da nossa desventura de subir pelo lado errado de uma escada rolante.

Com disposição e coragem de olhar melhor veremos que todas escondem os mesmos narizes de palhaço com que nós, do lado de cá, as contemplávamos.

Então começaremos a fazer nossas escolhas: nessa casa, que é a vida, que é um palco, onde, atrás de cada porta que abrimos, estaremos fundando a sociedade e os indivíduos que podemos ser.

2 | *Um palco para os mitos*

Alguém me chama, bem atrás
na plateia:
um aceno, uma voz sumida
parece dizer meu nome.
(É alguém de óculos,
pois as lentes refletem a luz
do teto.)
Posso responder, devo
acenar de volta?
Atrás de mim
alguém veste os bonecos da vida
e as estátuas da morte.
Euforia e medo,
é com eles que vou contracenar
(ou é comigo mesmo?).

Por cima do nariz de palhaço
ajeito os meus óculos para ver melhor.

"*Viver é subir uma escada rolante* pelo lado que desce", disse alguém. Nunca esqueci: é sobre esse esforço de viver que eu escrevo há tantos anos.

Humanos, portanto ambíguos, a imagem nos serve bem: para cima nos atraem novidades sempre renovadas, caminhos inimagináveis anos atrás, desafios que estimulam e assustam. Para baixo nos puxam as sombras do desencanto e da depressão, da acomodação, dos receios e do esquecimento na futilidade ou nas drogas, no álcool, nos medicamentos.

A visão não é necessariamente derrotista: crianças sobem por esse lado invertido das escadas rolantes, e nós, mesmo não sendo crianças brincando (ou brigando), tentamos vencer os degraus do que chamamos existência.

Mas a contradição faz parte de nós. Desejamos permanência, e destruímos a natureza. Nos consideramos modernos, e sufocamos debaixo dos preconceitos. Politicamente corretos, perdemos a naturalidade e o brilho. Onerados por crenças infundadas, carregamos na mala da culpa as pedras do medo.

Entre opostos tão diferentes como desejo de alegria e o peso de crenças sombrias ("a quem Deus ama ele faz sofrer"), entre ânsia de autonomia e o conforto da prisão, entre o desejo de progredir e a carência de líderes confiáveis, busca de saúde e lento suicídio nas drogas, nem sempre sabemos o que decidir, e muitas vezes nos deixamos levar.

Medicados (a pressão, o peso, a fadiga, a insônia, o sono, a depressão e a euforia, a solidão e o medo tratados a remédio), exasperados e indecisos, cedo recorremos a expedientes até para amar, porque nossa libido, quimicamente cerceada, falha; e a alegria, de tanta tensão, nos escapa.

Nosso olhar é turvado por lentes que deformam. Comer e cozinhar tornaram-se um *must*, mas sentamos diante dos melhores pratos recitando os prejuízos da comida: os quilos a mais, o colesterol, o açúcar no sangue. Alardeia-se o sexo como nunca antes, e nos julgamos liberadíssimos, mas as lendas sobre desempenhos nos causam medo. Cheios de remédios como vivemos, precisamos ressuscitar a libido com mais medicamentos.

Moramos em edifícios e condomínios de luxo, os miseráveis morrendo de fome e frio ou drogas na noite das nossas ruas. Há muitas novas distrações lá fora, mas estamos encerrados atrás de altos muros, vigiados por câmeras de segurança, grades nas janelas.

Vivemos no interior almejando a vida interessante na cidade grande, onde o narcotráfico impera e a violência nos desorganiza; na cidade grande, sonhamos com a plácida rotina das aldeias. Nem numa nem em outra encontramos paz, porque as pequenas cidades já são procuradas pelos criminosos que ali esperam vítimas mais despreparadas.

Violência doméstica e urbana nos tornam prisioneiros em casa, violência no campo desanima produtores, direitos humanos privilegiam os criminosos e abandonam as vítimas. A justiça se trava e confunde com uma teia de leis caducas ou não aplicadas.

Queremos afeto, mas família vai ficando complicado demais: como filhos, queremos fugir dos pais, que nos irritam e parecem nada ter a ver com a nossa realidade; como pais, nos intimidam filhos que não conseguimos entender. As mudanças rápidas nas relações pessoais nos enchem de desconfiança. Além disso, não sabemos nos comunicar: confundimos palavra e grito, silêncio e frieza.

Funcionamos como solidões em grupo, embalados pelo sonho de uma fusão impossível que aliviasse nossas inquietações e nos desse significado.

O olho do outro está grudado em mim e me sinto permanentemente avaliado, nem sempre aprovado: se eu não for como sugerem ou exigem meu grupo, família, sociedade, se não atender às propagandas, aos modelos e ideais sugeridos, serei considerado diferente. Como adolescentes queremos ser iguais à turma, como adultos queremos ser aceitos pela tribo: a pressão social é um fato inegável. Não controlada, ela nos anulará.

Carentes de orientação e autonomia, com informação insuficiente ou distorcida, não estamos muito interessados em analisar, quem sabe mudar. No esforço de sobreviver cumprindo mil tarefas, a gente passa correndo, lê os cartazes de propaganda, assiste à tevê, critica os políticos, e olha sobre o ombro do vizinho ou colega: o que ele tem e eu não tenho ainda?

Com alguma determinação talvez até se consiga reverter a direção em que correm os degraus, ou escapar para o lado melhor de subir, conduzindo de um jeito positivo nossa história e a da nossa sociedade.

Eventualmente sentimos que valeria a pena o esforço: compreender, cultivar alguma crença, ter esperança, atuar na comunidade, no país, no mundo. Embora a gente esqueça isso, somos minúsculas peças numa estranha engrenagem.

Cada uma tem o seu valor.

É estranho pensar que tudo tem sua importância: o modo como levo o copo d'água à boca, o jeito como olho meu filho, dirijo meu carro, escrevo meu texto, prendo o botão da camisa com o cheiro da pessoa amada, cavo minha cova ou como uma fruta. Tudo modifica o mundo, tudo depende (em parte) de mim.

Surpresa de ver que valho tanto, desconforto pelas responsabilidades que não desejei.

Mas também somos bons ou amorosos, curtimos esperança, inventamos coragem, cuidamos dos outros, fazemos com honra nosso trabalho: lutando contra o receio de que o amor nos torne vulneráveis, a delicadeza nos faça parecer fracos, e de que, não sendo céticos, os outros pensem que somos tolos.

Não somos um mero feixe de aflições. Podemos ser lúcidos, informados e atuantes. Liderar nosso grupo, criticar o que nos parece errado, sentir indignação — mas quase sempre nos falta parceria para agir de verdade, e nem sabemos direito o que fazer. Então a gente se atordoa acumulando objetos e espaços vazios. Botar que coisas em que lugares, para que haja harmonia, para a gente se sentir bem, e construir projetos?

É algo a descobrir ou elaborar, nesse misto de coerência e vago delírio do nosso cotidiano. Não somos apenas bonecos manipulados, mas coautores (nosso parceiro é o mistério) de algumas cenas disso que chamamos (e usamos como desculpa) de "nosso destino".

•

Os homens primitivos não filosofavam: inventavam deuses. Depois tentavam aplacar com sacrifícios esses chamados mitos, que tinham criado para explicar o enigma das forças da natureza, nascimento e morte. Nós, ditos modernos, se já não cultuamos esses mitos arcaicos (a ciência tirou o véu de mistério da maioria deles), inventamos novos, não menos poderosos. Se não os enfrentarmos, todo dia ao acordar estaremos homenageando com uma mesura o seu desejo de sangue e tempo: o sangue da nossa alma e o tempo da nossa vida.

Eles pairam como figuras emblemáticas na paisagem do que chamamos "cultura", que, no sentido aqui assumido, é esse caldo em que estamos mergulhados, do qual somos produtores e produtos, que nos forma e que influenciamos. Ela nos envia mensagens óbvias ou subliminares, que têm a ver com nossos usos, costumes, história e histórias, tragédias e anedotas, modelos bons ou impossíveis, ordens e contraordens. Assim se determina o nosso caminho de indivíduos, cidadãos, grupos maiores e menores, sociedade enfim.

Nossos deuses empobrecidos jogam com luz e sombra de vários lados, usam disfarces, testam a nossa certeza, manejam os cordões que nos movimentam. No corredor polonês entre o desafio de pensar e o tédio de viver, desmascarar alguns deles pode ser um grande salto na direção de conceitos mais realistas.

Mas conceitos podem ser infundados, enganosos. Conceitos são as roupagens dos valores ou a careta dos preconceitos, portinhas que dão para lugar nenhum, ou paisagens desenhadas por algum grande gozador que nos quis pregar uma peça. Às vezes caímos nela.

Vidas inteiras se guiam por alguns deles, e só o velho bom-senso e o arcaico instinto nos ajudam a escapar e a escolher.

Na verdade estamos pouco exigentes. Adormecemos satisfeitos se podemos dizer: meu avião atrasou só quatro horas, que sorte; só roubaram meu carro, não me mataram... então viva o progresso, somos um país civilizado.

Quero repensar aqui a crueldade ou a delicadeza da existência humana, cheia de sombra e graça, dor e riso; e as relações amorosas (também familiares), ou a descoberta de si mesmo; o poder e o risco, a aventura de estar numa determinada sociedade, num país, também num contexto político no qual, mesmo apartidários, nadamos como num largo rio, aqui com águas boas para sustentar nossas crenças, ali traiçoeiro e mau.

Jogos de poder, quando irresponsáveis, podem causar muitos males a um país, um povo. Pouco sabemos do que acontece nos bastidores. Os culpados apontam uns para os outros: foi ele, foi ele. Em geral temos pouca informação, e sentimos medo — da maldade humana, da precariedade das instituições, do nosso decorrente desamparo. O perigo é deixar de buscar, aqui, neste lugar, neste momento, neste meu reduzido espaço, alguma coisa melhor.

Mas se almejamos algum tipo de liberdade — seja o que for que isso queira dizer para cada um —, é preciso arriscar: trazer esses nossos enganos até o chão da realidade, remover suas máscaras e sua mística, e escolher, com audácia se for preciso, que portas vamos abrir ou ignorar.

•

A falsa liberdade e a síndrome do "ter de": essa é uma manifestação típica do nosso tempo, contagiosa e difícil de curar porque se alimenta da nossa fragilidade, do quanto somos impressionáveis, e da força do espírito de rebanho que nos condiciona a seguir os outros. Eu tenho de fazer o que se espera de mim. Tenho de ambicionar esses bens, esse status, esse modo de viver — ou serei diferente, e estarei de fora.

Temos muito mais opções agora do que alguns anos atrás, as possibilidades que se abrem são incríveis, mas escolher é difícil: temos de realizar tantas coisas, são tantos os compromissos, que nos falta o tempo para uma análise tranquila, uma decisão sensata, um prazer saboreado.

A gente tem de ser, como escrevi tantas vezes, belo, jovem, desejado, bom de cama (e de computador). Ou a gente tem de ser o pior, o mais relaxado, ou mais drogado, o chefe da gangue, a mais sedutora, a mais produzida. Outra possibilidade é ter de ser o melhor pai, o melhor chefe, a melhor mãe, a melhor aluna; seja o que for, temos de estar entre os melhores, fingindo não ter falhas nem limitações. Ninguém pode se contentar em ser como pode: temos de ser muito mais que isso, temos de fazer o impossível, o desnecessário, até o absurdo, o que não nos agrada — ou estamos de fora.

A gente tem de rir dos outros, rebaixar ou denegrir nem que seja o mais simples parceiro de trabalho ou o colega de escola com alguma deficiência ou dificuldade maior. A gente tem de aproveitar o mais que puder, e isso muitos pais incutem nos filhos: case tarde, aproveite antes! (O que significa isso?) A gente tem de beber em preparação para a balada, beijar o maior número possível de bocas a cada noite, a gente tem de.

A propaganda nos atordoa: temos de ser grandes bebedores (daquela marca de bebida, naturalmente), comprar o carro mais incrível, obter empréstimos com menores juros, fazer a viagem maravilhosa, ter a pele perfeita, mostrar os músculos mais fortes, usar o mais moderno celular, ir ao resort mais sofisticado.

Até no luto temos de assumir novas posturas: sofrer vai ficando fora de moda.

Contrariando a mais elementar psicologia, mal perdemos uma pessoa amada, todos nos instigam a passar por cima. "Não chore, reaja", é o que mais ouvimos. "Limpe a mesa dele, tire tudo do armário dela, troque móveis, roupas de cama, mude de casa." Tristeza e recolhimento ofendem nossa paisagem de papelão colorido. Saímos do velório e esperam que se vá depressa pegar a maquilagem, correr para a academia, tomar o antidepressivo, depressa, depressa, pois os outros não aguentam mais, quem quer saber da minha dor?

O "ter de" nos faz correr por aí com algemas nos tornozelos, mas talvez a gente só quisesse ser um pouco mais tranquilo, mais enraizado, mais amado, com algum tempo para curtir as coisas pequenas e refletir. Porém temos de estar à frente, ainda que na fila do SUS.

Se pensar bem, verei que não preciso ser magro nem atlético nem um modelo de funcionário, não preciso ter muito dinheiro ou conhecer Paris, não preciso nem mesmo ser importante ou bem-sucedido. Precisaria, sim, ser um sujeito decente, encontrar alguma harmonia comigo mesmo, com os outros, e com a natureza na qual fervilha a vida e a morte é apaziguadora.

Em lugar disso, porém, abraçamos a frustração, e com ela a culpa.

A culpa, disse o personagem de um filme, "é como uma mochila cheia de tijolos. Você carrega de um lado para outro, até o fim da vida. Só tem um jeito: jogá-la fora". Mas ela tem raízes fundas em religiões e crenças, em ditames da família, numa educação pelo excessivo controle ou na deseducação pela indiferença, na competitividade no trabalho e na pressão de nosso grupo, que cobra coisas demais.

Dizem que devemos nos informar melhor, mas quanto mais informação, mais dúvidas; quanto mais abertura, mais opções; quanto mais olhamos, mais se expande a tela onde se projetam nossos desejos.

Nessa rede de complexidades, seria bom resistir à máquina da propaganda e buscar a simplicidade, não sucumbir ao impulso da manada que corre cegamente em frente. Com sorte, vamos até enganar o tempo sendo sempre jovens, sendo quem sabe imortais com nariz diminuto, boca ginecológica e olhar fatigado num rosto inexpressivo. Não nos faltam recursos: a medicina, a farmácia, a academia, a ilusão, nos estendem ofertas que incluem músculos artificiais, novos peitos, pele de porcelana, e grandes espelhos, espelho, espelho meu. Mas a gente nem sabe direito onde está se metendo, e toca a correr porque ainda não vimos tudo, não fizemos nem a metade, quase nada entendemos. Somos eternos devedores.

Ordens aqui e ali, alguém sopra as falas, outro desenha os gestos, vai sair tudo bem: nada depressivo nem negativo, tudo tem de parecer uma festa, noite de estreia com adrenalina e aplausos ao final.

•

Medo e preconceito. O medo do diferente é o pai do preconceito, que por sua vez abre feridas na alma. Porém nos ensinaram que temos de ser iguais, inclusão geral. Então, para não sermos diferentes, portanto objetos de suspeita ou rejeição clara, mentimos uma igualdade impossível. Melhor seria entender, cultivar e afirmar nossas diferenças — não como fator de ódio, mas de um espaço de crescimento natural de todos para um melhor convívio.

Boa parte dos nossos medos é um legado atávico dos homens das cavernas, fator de sobrevivência primitivo. Ainda nos contamina, pois mesmo quando se busca honradamente a imparcialidade, os preconceitos estão à espreita, em nós ou na esquina. Dinheiro e educação não nos liberam dessa secular lavagem cerebral que a cultura nos incute, abraçados à qual giramos pela vida.

O diferente parece ameaçador: queremos preservar nossa individualidade, tememos que o outro nos prejudique. O que não entendo, o que não é igual a mim, seja na cor, no formato dos olhos, na cultura, nas origens, na profissão e nos afetos, desperta minha hostilidade irracional.

Atormentar colegas na escola, perversidade do momento, nasce disso: o menino de óculos, o que não gosta de esportes, o que toca violino em vez de guitarra, a menina gordinha, a mais feiosa, o que não nada no mesmo clube chique, o que tem outra cor de pele, o negro, o oriental, a colega que não usa roupa de grife, o rapaz que prefere livros ou família à balada, enfim, uma lista enorme. Ameaças e perseguições também via internet já provocam suicídio entre adolescentes, e séria depressão em crianças.

A medicina e a moda incutem que estar acima do peso é feio, e, além disso, mortal. Ignoram-se diferenças físicas ditadas pela natureza, que nos deixam saudáveis e contentes mesmo que estejamos um pouco fora do esquadro ditado por ideias ou uma medicina nem sempre sensata, que dentro de pouco tempo pode mudar seus padrões — em que tão poucos cabem.

A obrigação de nos enquadrarmos num modelo aflige e frustra a grande maioria de nós. Poucos conseguem ser originais: calçamos o mesmo tênis, vestimos roupa de um mesmo tamanho, usamos o mesmo cabelo, sorrimos com os mesmos dentes, temos o mesmo ar desanimado ou delirante — porque nos drogamos seja com o que for, para aguentar.

E se nossa cabeça for um pouco mais alta, nosso corpo mais pesado, nosso desejo fugir à regra, se formos negros ou amarelos ou brancos, gordos ou magros demais, seremos quase inevitavelmente apontados: preconceito é o nome dessa perseguição.

Religiões continuam ensinando que ser homossexual é doença ou anormalidade; usar camisinha é pecado, e evitar filho (a não ser com aquele falibilíssimo método "natural"), pecado também.

Nossa atitude em relação a certos preconceitos é contraproducente, como no preconceito racial. Leis que favorecem determinadas raças, por exemplo, estimulam ainda mais a diferença, o que na minha opinião ocorre com cotas especiais para afrodescendentes em escolas e universidades. Por que criar cotas para estudantes negros nas universidades, e não para os japoneses ou árabes?

Culpabilizar uma raça e vitimizar a outra não ajuda a ninguém: promove o ódio racial, assim como palavras irracionais podem promover ódio de classes. E se a ideia for baseada em dívida e suposta culpa, temos "dívidas" também com os colonizadores brancos, poloneses, italianos, alemães, chamados para cultivar nossas terras mais remotas e agrestes, e lá vergonhosamente abandonados à própria sorte, sem médico, professor, ferramentas e orientação, no meio de tribos selvagens e animais ferozes.

Bolsas, cotas, todos esses privilégios deveriam ter em vista apenas a condição econômica: o aluno pobre mas esforçado merece todos os incentivos. Qualquer pessoa em situação de necessidade deve receber, mais que ajuda, oportunidade e estímulo que garantam a sua dignidade. Porém nada que estimule preconceito racial ou social.

O preconceito moral por sua vez age às avessas: há talvez vinte, trinta anos, as meninas precocemente sexualizadas eram consideradas indecentes, pais pediam às filhas que se afastassem delas. Hoje, jovenzinhos e quase crianças sofrem uma tremenda pressão para se envolverem com atividades sexuais ou que beiram isso. Meninos e sobretudo meninas até de onze, doze anos, que não tenham tido nenhuma experiência mais íntima, como beijar na boca, são considerados atrasados e sem graça por parte da sua turma.

Nas festas, mulheres parecendo todas sem idade, mesma roupa, mesmo sorriso, mesma postura diante do fotógrafo; homens espreitando desconfiados esses protótipos feitos e dispostos em série: mesmas medidas, mesmo cabelo, mesmo sorriso artificial e mesmo olhar ansioso: estou linda, sou desejável?

Quando somos muito jovens, a pressão do grupo social é mais forte do que a família. Mais tarde continua intensa, pois queremos ser adultos bem-sucedidos, admirados, quem sabe invejados. Difícil descobrir e construir uma personalidade própria, com a autonomia possível que será completada no curso da vida, com independência financeira, escolhas pessoais e profissionais, e amadurecimento.

Como temos uma adolescência prolongada, essa necessidade de integração no rebanho é uma compulsão duradoura. Superá-la exige determinação, motivação. Muito mais fácil deixar-se levar, ser como os outros, entrar naqueles modelos que a mídia nos apresenta como sendo os ideais.

E assim, membros da manada social, política, econômica, cultural, padronizados, desesperados ou fúteis, criadores ou robotizados, covardes ou heroicos, amorosos ou perversos, modernos mas assustados, carregamos a vida em vez de curti-la.

Com ela subimos a escada rolante pelo lado errado, na busca de algo que nos alegre ou conforte, ou nos diga quem somos e o que fazemos neste mundo belo e feroz, sob o olhar irônico dos mitos que inventamos.

•

Gêneros: conflito e ilusão. Estudos recentes demonstram que a diferença biológica entre homens e mulheres não é tão grande quanto se pensava ou quanto parece:

não tenho cacife nem pretensão de comentar nada científico. Não sou uma estudiosa, sou um ser humano que pensa, e gosta de convocar sua tribo (meus leitores) para refletirem juntos. Nada mais.

Não concordo com a badalada frase de Simone de Beauvoir, de que "a gente não nasce mulher, mas se torna mulher". Cada vez mais me convenço de que em tudo somos ainda filhos daqueles seres das cavernas, e que, seja de que essência e qualidade for, algo muito profundo, arcaico e poderoso nos convoca enquanto fêmeas e machos.

Sua voz pode estar cada vez mais distante, porque estamos cada vez mais afastados da nossa natureza primitiva, que não era só selvageria e ignorância, ou brutalidade e inconsciência, mas feixe de raízes inconscientes, por mais que sejamos modernos. Aí reside a inata diferença de gêneros, fundada na estrutura biológica e psíquica particular que nos torna mulheres ou homens, no mesmo vetor dos velhos estranhamentos que baseiam dificuldades entre as diversas raças.

Nascemos, sim, machos e fêmeas, e não faz grande diferença qual a porcentagem desses genes. O cultural acrescenta, predomina, condiciona, organiza e estimula ou não a luta inglória entre masculino e feminino, que nossa sociedade questiona e ao mesmo tempo incita.

A marca da natureza, fascinante e por vezes cruel, é inegável. Quanto mais vivo e observo, mais acredito na sua força. Mães de filhos pequenos que amamentam, estando longe do bebê na hora em que ele deveria estar mamando, sentem o leite correr do peito: isso não há de ser cultural. Esse único e simples dado, tão fácil de confirmar, sabido por qualquer mulher das mais simples lavradoras no campo à mais sofisticada intelectual, é um dos sinais, uma das tatuagens do cerne da vida em nosso corpo.

Quantas mais existem na nossa psique, das quais nem nos damos conta?

Memórias da caverna persistem em nós.

Homens e mulheres têm do mundo uma experiência biopsíquica diversa, o que gera diferentes visões das coisas, e diferentes atuações na vida. Masculino e feminino são secundários à essência "ser humano": vêm depois disso, nessa velhíssima e nem sempre bem contada história da guerra dos sexos — mas igualmente nos fundam.

A bandeira dos sexos iguais provoca uma guerra inútil — não falo da conquista dos direitos essenciais por parte da mulher (e de qualquer ser humano), o primeiro deles sendo a dignidade. Não só a igualdade é um mito, como querer ser igual é negar sua própria essência. Muito mais produtivo seria cada um valorizar suas próprias características e as do outro, para um convívio instigante e ao mesmo tempo cúmplice.

Os aspectos culturais, agregados à essência masculina e feminina, mudam como no correr do tempo mudam modas, manias, comportamentos e aspirações. Hoje as transformações são rápidas e radicais. Em alguns aspectos os dois gêneros tendem a se aproximar: cortes de cabelo, trajes, profissões, atitudes. (Estamos nos encaminhando para futuras gerações andróginas?)

Mas em nosso mais profundo instinto — que nem sempre conseguimos escutar pois cada vez mais nos afastamos do nosso ser natural — sabemos, e sentimos, desde crianças, que somos, sim, mulheres e homens em formação.

Quando vivíamos nas cavernas, o troglodita saía a caçar trazendo alimento para sustentar a família — para a reprodução da espécie. E a troglodita, no fundo da escuridão, à luz da fogueira, fazia comida, paria, amamentava e cuidava das crias — para a reprodução da espécie. Além disso, ele, como disse um médico certa vez, saía "polinizando" o maior número possível de fêmeas saudáveis — pelo bem da espécie.

Parece que mulheres sempre foram seres inquietantes. Estatuetas antiquíssimas, das primeiras encontradas, representam divindades femininas com grandes peitos, nádegas e ventres poderosos. Encarnavam o enigma do nascimento, da vida, e portanto da morte: pois se dou a vida, estou simultaneamente dando, ao que nasce, o seu destino mortal. Revelavam atração e repulsa, veneração e perigo.

Mas as mulheres, ah, essas criaturas que a natureza feriu, que sangram todo mês mas não adoecem, com orifícios que retêm enigmas e prometem prazeres, certamente têm parte com o Demo, e foram as vítimas preferidas. Antigamente, da Inquisição; agora ainda, em muitos casos, da fogueira do preconceito. (Também preconceito das próprias mulheres, diga-se de passagem.)

A Igreja queimou milhares como bruxas, porque conheciam ervas medicinais, por serem parteiras que portanto lidavam com a vida e a morte, outras simplesmente porque de alguma forma não se enquadravam. Acabo de ler uma boa biografia de Joana d'Arc, recheada de documentos comprovando a ignorância, a farsa, a brutalidade com que foi processada e queimada viva pela chamada Mãe Igreja. Tinha menos de vinte anos, a pobre moça que na sua aldeia chamavam de Joaninha.

Preconceito tem mão dupla: a dificuldade de lidar com o sexo oposto, na vida privada e na profissional, também ocorre com os homens. Não só muitos consideram a mulher controladora ou fútil, mas muitas mulheres veem neles o provedor, e pior, o que tem obrigação de prover: somos impiedosas cobradoras. Visto como naturalmente poderoso e competente, o patriarca vive numa solidão fria, sem coragem de confessar seu desejo de companhia, escuta, abraço: pois esse varão é apenas um pobre mortal.

Possivelmente foi ele quem criou o mito da santa esposa, para aguentar sua sorte: "Ela não é muito carinhosa, mas é uma santa; reclama de tudo, mas é uma santa; não me escuta, mas é uma santa."

Sinto muito, nem todas são. Eu até diria que mais vezes do que sonhamos, somos umas chatas. Sempre ansiosas, cansadas e sem tempo, nos ocupamos demais com detalhes domésticos muitas vezes desimportantes, na crença vã, na obrigação que nos foi ensinada mesmo nestes ditos tempos modernos, de que boa mulher é a que mantém a casa em ordem e a família sob controle.

É folclore que fomos sempre as sacrificadas: muitas de nossas inocentes avozinhas dirigiam a família com olho rápido, língua afiada e pulso firme. Mesmo em séculos passados a mãe eventualmente detinha um poder invejável. O marido não raro a consultava no secreto do quarto sobre decisões importantes, nas propriedades rurais ela administrava a casa da cidade, fiscalizava o estudo dos filhos, negociava casamentos, cuidava do dinheiro, enquanto o marido e senhor corria com seus peões pelas vastidões do campo ou abria trilhas na mata.

Agora, além dessas, bandos de bonequinhas ambicionam um corpo de menina, um parceiro com carteira recheada, babás que lhes tirem dos frágeis ombros o peso da maternidade, para que não precisem cansar seus cérebros infantis.

•

Porém, uma geração de profissionais competentes, médicas, reitoras, políticas, chefes de seção, motoristas de ônibus ou ocupando qualquer posto que se possa imaginar, começa a se impor. Muitas ainda trabalham dilaceradas entre curtir a natural feminilidade e correr o risco de serem ironizadas ou pouco levadas a sério pelos homens. É preciso aprender a se portar no universo masculino onde estão sendo introduzidas. A ascensão a cargos que antes só cabiam aos homens trouxe algumas alegrias e também sustos para os dois sexos, como qualquer novidade, e fez surgir o medo do poder da mulher — o medo que a mulher pode sentir do seu próprio, e novo, poder.

Não significa necessariamente o folclórico medo que homens teriam de mulheres poderosas, pois nem todos os homens são tolos a esse ponto.

Agora temos algum poder, seja de dinheiro, cargo, profissão (não importa que profissão): o que fazemos com ele — e o que ele fará conosco?

Existe um poder feminino ou isso é pura tolice, o poder não tem sexo?

Ou tem, e ainda precisamos descobrir como agimos?

Que modelos temos para nos inspirar sobre como mandar, administrar, como nos portar nessa novíssima circunstância? Precisando exercer autoridade, e com dinheiro na mão, teremos ainda o encanto que pensávamos ter, que achávamos indispensável, ou vamos ficando isoladas? As amigas, os amados vão se afastar? Vão nos olhar de um jeito diferente?

Mulher num cargo de mando, com colegas e subalternos homens, deve agir de modo masculino, correndo o perigo de se tornar uma caricatura do homem? Como enfrentar o ar condescendente de alguns homens mais imaturos quando lidam com mulheres em altos postos, mesmo que sejam colegas do mesmo nível na empresa? Como tolerar o desafio de subalternos desconfiados de que chefe mulher vai dar problema?

Ela precisa inventar um modo seu de competir, de mandar e trabalhar, que não seja "feminino" no sentido da doçura, mas um novo tipo de postura e compostura, que preserve a naturalidade?

Que "modo" seria esse?

Sem padrões estabelecidos, tateamos em busca de soluções. Mulheres bem-sucedidas entregam seu dinheiro ao parceiro "para que ele tome conta", com receio de que se sinta lesado em sua autoestima se ganham mais que ele — ou porque acham de verdade que ele o saberá administrar melhor.

É a culpa pelo êxito, que jamais ocorre em um marido de sucesso.

Além disso, o medo da solidão é um fantasma que assusta mais as mulheres do que os homens: muitas ainda são educadas para fazerem par com homem, como a parte mais frágil dessa combinação. Muitas se sentem incompletas sem ele, inferiores sem o seu aval, numa cultura da futilidade, em que homem sozinho está "aproveitando a vida", e mulher sozinha "não encontrou quem a quisesse". Tais clichês, que podem parecer ridículos, são mais frequentes do que gostaríamos de admitir, também são filhos do preconceito, e o reforçam.

Às vezes provocam:

"Você quer me dizer que não sofreu preconceito por ser mulher?"

Não tenho uma boa resposta. Não costumo pensar em mim como mulher, mas como ser humano. Como ser humano tenho direitos e deveres. Meu desejo é ser uma pessoa decente, e ser tratada como tal.

Talvez porque não tive um pai prepotente e agressivo, que comandasse mulher ou filha dentro de casa, não vejo antecipadamente no masculino uma espécie de inimigo contra o qual precisasse estar alerta. Pessoas assim não me interessariam para conviver, nem como amigos chegados, embora eu conheça alguns. Acho que eu não ficaria numa relação que me despersonalizasse.

Tive sorte? Ou meu instinto (de sobrevivência) me fez "escolher" pessoas maduras e não homens infantilizados, adolescentões que precisassem gritar e controlar para serem respeitados?

Em minha profissão, o preconceito que pode haver é o velhíssimo "mulher escreve amenidades", que pioneiras antes de mim derrubaram — meu caminho foi mais fácil. Quando um homem me diz que compra determinada revista em que mantenho uma coluna "para a mulher ler o que escrevo", ou me pede autógrafo num livro "para a filha", sei que ele quase sempre tem um atraso cultural a recuperar: vive um preconceito que não o faz parecer mais inteligente.

Mulheres não escrevem necessariamente para mulheres, ou apenas sobre mulheres. Porém essa visão torta faz com que até críticos tenham escrito, aqui e ali, que escrevo com essa destinação, ignorando todos os personagens masculinos muito presentes e fortes (embora talvez com personalidades fracas...) que criei. E não esqueci o crítico que, no início de minha carreira, querendo me elogiar, escreveu que eu era uma boa escritora porque, embora fosse mulher, "escrevia com mão de homem".

É em parte tarefa nossa criar o respeito masculino: mulheres que se respeitem e se façam respeitar. Pois desde sempre houve figuras femininas importantes, até na política, na cultura e nas artes. Não foram tão numerosas quanto os homens, mas existiram e algumas fizeram história. Hoje, políticas, empresárias, médicas, reitoras, operárias em funções de chefia ou manejando máquinas perigosas, chefs de cozinha, artistas conquistaram, construíram o respeito que lhes foi dado, mas não como um presente.

Porém existe ainda uma parcela que se porta de maneira irresponsável e tola. Se nos vestimos e nos conduzimos como menininhas, difícil nos encararem como personalidades maduras. Se nos apresentamos seminuas e com trejeitos sensuais em público, até no trabalho, vai ser mais duro perceberem nosso talento e capacidade. Já escrevi e falei da psicóloga que atendia o paciente de minissaia, da jovem médica cujo doente na enfermaria se masturbava ao vê-la exposta sob o jaleco aberto, e do injustificado espanto das duas, ao não se sentirem "respeitadas".

Se confundimos autoafirmação com falta de limites, colaboramos com isso que começa a surgir, na literatura, televisão e teatro: a triste imagem de mulheres de cinquenta anos ou mais como figuras grotescas, delirantemente transando com qualquer amigo de filhos (ou até netos), vestindo-se e portando-se de maneira extravagante ou agressiva, como se isso tivesse algo a ver com liberdade e independência.

Os conflitos de gênero provavelmente não têm solução. Mas podemos chegar a um convívio estimulante e positivo, na medida em que haja consciência de que direitos também têm a ver com comportamento. Na medida em que homens amadurecidos controlarem seu impulso arcaico de "polinizar" em muitas camas, passando a fundar relacionamentos em que predominem lealdade e confiança, e mulheres mais maduras superarem seu também arcaico instinto de se encolher no duplo ninho da submissão ressentida ou da infantilidade, a guerra dos sexos pelo menos será mais elegante.

•

O mito da gloriosa juventude. Essa obsessão é um dos mais tolos mitos modernos. A dolorosa ânsia de enganar a qualquer preço o tempo que passa, a ideia de que esse processo natural é uma deterioração, não uma construção, corta a evolução natural da vida. Passado o encanto normal da juventude, não teremos a beleza própria de uma velhice harmoniosa.

Que sedução especial teriam juventude e beleza (se forem mulheres) e potência e músculos (junto a dinheiro, se forem homens) para os buscarmos de forma tão obsessiva, sacrificando por eles saúde, identidade, alegria?

Mania de mulheres fúteis e de homens imaturos? Moda ingrata que submete a sacrifícios e privações quem não consegue suficiente autonomia? Angústia de uma cultura de valores questionáveis, da negação da finitude, portanto do valor de cada momento e fase da vida?

Mulheres muito bonitas seriam em geral mais felizes? A observação nos diz que embora atraiam mais atenção do que as simplesmente "comuns", frequentemente sua luta contra a passagem do tempo é um drama de insatisfação jamais resolvido. Além do mais, a beleza deslumbrante, quando usada como maior troféu, tende a causar mais sofrimento quando o tempo inexoravelmente passa.

E em última análise, homens que em tudo valorizam mais a beleza física, em geral são os menos interessantes, principalmente como parceiros de uma vida.

Porém, a obcecada busca da beleza ditada pela moda do momento, cujo poder pouco se discute, pode ocasionar procedimentos sucessivos de verdadeira mutilação, sem médicos com suficiente bondade para dizer "agora basta". E se disserem isso, aparecerão outros para os quais não há limite. Aos poucos belas mulheres transformam-se em caricaturas do que já foram ou do que pretendem ser, sua própria visão tão prejudicada que ao se olhar no espelho não enxergam sua deformação.

Plásticas, preenchimentos, tratamentos variados, para corrigir defeitos ou envelhecimento prematuro, podem restituir uma autoestima machucada; mas o exagero nos leva a uma preocupante autofagia. Que impulso é esse, que nos cega para a realidade, nos faz odiar nossa própria natureza, apostando todas as fichas, eventualmente a vida, na construção de algo que não somos?

A sociedade em que vivemos, que, aliás, criamos, num desses processos enigmáticos nos leva a encarar a vida como um conjunto de gavetas compartimentadas nas quais somos moços, maduros ou velhos — porém só em uma delas, a da juventude, com direito a alegrias e realizações.

No entanto, adolescentes também sofrem vicissitudes, angústias normais nessa idade das indefinições, perdas e pressões que ainda não conseguem administrar. A pouca idade não é em tudo uma vantagem. Ela é um patamar inicial, nada mais.

Família, amigos e colegas, ou essa entidade amorfa e poderosa que chamamos sociedade, lhes fazem cobranças severas: o que você vai ser, o que pretende, por que está quieto, por que está falante, para onde vai, com quem vai, por que está mal na escola, por que só estuda e não se diverte. Sofrem os jovens com a dificuldade do mercado de trabalho, os relacionamentos sucessivos e breves, novos padrões de comportamento, a adolescência prolongada, a insegurança dos próprios pais com pouca autoridade.

E sofrem com as perdas: separações na família, fracassos nos estudos, amigos que adoecem, mortes por acidente, toda a sorte de dúvidas e indecisões quanto a si mesmos e ao mundo que nem sempre os acolhe com bondade.

•

Velhice é apenas outra fase: mas, como se ela fosse algo estanque, um setor final, procuramos esquecer-nos dela no nosso baú de enganos, a chave guardada por algum duende que ri de nós (a gente finge não ver). Nem parece que hoje vivemos mais com melhor qualidade, podendo ter saúde, interesse e afetos até os oitenta ou noventa anos (logo serão mais), desde que levando em conta as limitações normais: parecemos um carro em disparada, com faróis voltados para trás.

Ignoramos que velhos também viajam, estudam, passeiam, namoram, trabalham quando podem, curtem amizades e família — sem se pendurar nelas como vítimas chorosas. Não importam as décadas acumuladas, eles são mais que velhos: são pessoas. Mas para nós, nesta cultura em alguns aspectos bizarra, a velhice é antinatural, é quase uma enfermidade. Em lugar de saborear os prazeres dessa idade, sofremos agonias desnecessárias, agarrados freneticamente à tábua de salvação dos modernos procedimentos estéticos.

E mesmo que se possa manter, com vários recursos, uma aparência boa (não patética, nem que desperte piedade e cause susto) em qualquer idade — escondendo anos de vida a mais —, nenhum artifício, por mais hábil que seja, substitui uma mente arejada, a alegria de viver, e o prazer das coisas.

Éramos velhos muito cedo, em outros tempos. Na Idade Média, a vida dos homens chegava geralmente aos vinte, a das mulheres um pouco mais, eventualmente aos trinta, já doentes e desdentadas: nada da imagem da bela donzela medieval.

Hoje vivemos bem por muitas décadas, mas quem quer saber disso? A gente se pudesse cobriria os espelhos do mundo, depois dos quarenta, ou dos cinquenta anos.

Ignoramos o fato de que, quando não pudermos mais realizar negócios, viajar a países distantes ou dar caminhadas, poderemos ainda exercer afetos, agregar pessoas, ler bons livros, observar a humanidade que nos cerca, eventualmente lhe dar abrigo e colo. Para isso não é necessário ter agilidade, musculatura, pele de porcelana, olhar luminoso, mas que a alma tenha crescido, com galhos, folhas, raízes, e quem queira possa se aninhar ali.

Na ponta de alguns ramos, frutas de interesse, afetos, projetos. E chispas de bom humor — esse que salva a alma de rugas. No chão, a sombra das memórias boas que florescem independentemente do tempo.

A chegada da velhice não precisa enferrujar a alma. Sendo inevitável, ela devia ser aguardada e recebida como uma amiga há muito anunciada. E ela vem aos poucos, vem mansa. Não precisamos pedir desculpas quando ela chega, inventando para os outros que temos menos idade do que temos. Não precisamos nos desculpar nem por ainda querer alegrias e curtir atividades, nem por talvez precisar de ajuda e atendimento. O espírito é mais importante do que rugas, manchas, andar lento e corpo encolhido: não o espírito jovem, de que falarei adiante, mas um espírito próprio de cada idade, aberto e gentil.

Assisti a festas de setenta, oitenta ou noventa anos, em que o tom foi dado por saudosismo e lamentação: o que havia a festejar ficava em segundo plano, toda uma vida na qual possivelmente se escolheu muito mais a vitimização do que a realização, a sombra em lugar da claridade que estava logo ali.

Mas também participei de outras em que o tom era de celebração pelo que tinha havido de bom, e pela ocasião de reunir família e amigos e lhes dizer que tudo valeu a pena. Não havia lamentações, nostalgias melancólicas, nem se choravam os mortos: lembrados, eram como boas memórias.

"Agradeço pelos momentos bons, que foram muitos, porque com eles aprendi; nos momentos difíceis, também muito aprendi, então agradeço igualmente por eles, por tudo, pela vida", disse uma amiga numa comemoração de muitos anos. Espero que, ao cumprimentá-la, ninguém tenha lembrado de dizer: "Você fez oitenta anos, mas tem espírito jovem." Pois isso seria anular a pessoa que ela estava sendo, e obrigá-la a olhar para trás com uma nostalgia sem sentido, querendo ser, não a homenageada daquela noite, mas alguém bem menos interessante do que essa de agora, com sua elegância natural, suas conquistas, superação e coragem.

As amizades de agora. O amor de agora. Sendo quem estava sendo agora. Com experiência, sabedoria e serenidade, que eram de agora.

•

Para que "espírito jovem"? Quem nos convenceu de que o nosso espírito de agora é pior, de que toda a experiência nada vale, as descobertas, um mundo que se abriu em tantos anos?

Com uma bagagem interior pobre, conceitos e crenças anêmicas, a semente do medo da velhice, o peso das fantasias em torno de juventude e beleza como um bem supremo se desenvolvem feito uma planta venenosa de muitas ramificações.

Por que eu quereria ter a alma sempre jovem, e quem disse que ela é necessariamente melhor do que a minha, se tenho setenta ou oitenta anos, e não sucumbi ao mau humor e ao ressentimento?

"Espírito jovem?", disse alguém com muita graça e acerto: "Não quero meu espírito fazendo trejeitos de adolescente."

Uma amiga, ao fazer oitenta anos, me dizia com o traço de bom humor que a caracteriza: "A idade pesa, sim, mas quantas coisas já não preciso fazer, nem provar. Quando tudo parece difícil, a gente dá uns pulinhos, e todos acham que estamos esplêndidas e aí nos sentimos assim."

Outra, com mais idade que isso, indagada sobre o que achava da velhice, respondeu com muita graça, arregalando os olhos sempre luminosos: "Eu acho ótima, pois a alternativa seria a morte!"

Já que o conceito de idade e seus patamares estão mudando (na minha infância mulheres de cinquenta eram idosas e se vestiam e portavam como tal), precisaremos achar palavras para representar conceitos menos velhos.

Usamos de eufemismos como "a doença", "aquela doença", ao falar sobre o câncer. Pessoas mais simples davam e ainda dão vários apelidos ao demônio: o Coisa Ruim, o Cramulhão, e centenas de outros, alguns divertidos.

Inventamos para a velhice nomes às vezes ridículos, que apenas reforçam a patética não aceitação da realidade e o desejo de tapar com a peneira um sol que poderia ser benfazejo.

Somos uma sociedade cruel: exigimos que os velhos façam mil coisas, que se animem, viajem, estudem, frequentem bailes "de terceira idade", tenham uma ativa vida sexual. Que façam tudo menos serem velhos.

Na tentativa de ajudar, muitas vezes promovendo trabalho voluntário e organizando grupos com velhos, nós os infantilizamos — não nos basta o espírito jovem, queremos o infantil. Assim os submetemos a atividades descabidas, vestindo velhinhas com roupagens atrozes, fazendo-as dançar em trajes de bailarinas, sapatinhos rosa, quem sabe segurando balões.

Em família, tendemos a superprotegê-los com excesso de cuidados, que os limitam ainda mais e lhes roubam uma possível autonomia, querendo que não morem sozinhos mesmo que ainda possam, não andem desacompanhados mesmo que ainda consigam, não dirijam seu carro mesmo que seus reflexos estejam bons.

Ou exigimos que sejam imitações melancólicas de jovens, ou queremos que se encolham dentro do estereótipo do "papai está velhinho", "mamãe anda muito esquecida" e "vão começar a me dar trabalho".

Não interessa se estão contentes do jeito que estão: é difícil olhar o velho pai, a velha mãe, e enxergar neles o

outro, um ser humano, uma pessoa que sofre, se alegra, sonha, tem vontades, carências e, ainda, esperanças.

Certa vez escutei um médico geriatra em uma palestra aconselhando, na velhice, a "reduzir, reduzir, reduzir tudo". Referia-se a roupa, espaço, móveis, compromissos, enfim: mandava reduzir a vida. A mim pareceu um contrassenso, pois quando a realidade física já nos impõe novos limites, entrar no espírito do encolhimento apenas nos transformaria em personagens empalhadas quietas num canto.

Esse pensamento promove também frases como "Por que estofar meu sofá rasgado? Já estou velha mesmo", ou: "Despedi minha empregada, para que na minha idade ainda ter empregada?". "Viajar na minha idade, nem pensar!", e "Não vale a pena comprar computador e aprender a lidar como ele, afinal estou velho demais", me disse um médico ainda lúcido e capaz. Também ele sucumbiu à lei do "reduzir, reduzir, reduzir!".

Penso que, a não ser que isso seja indicado por questões de saúde e proteção à pessoa, nunca se deveriam aparar as asas que ainda podemos ter numa idade avançada: é podar a alegria, e acelerar a morte.

•

Repositório de dados importantes, os velhos eram um tesouro precioso em culturas antigas, sobretudo as que não tinham escrita. (Em algumas culturas, isso ainda acontece.) Não necessariamente porque lá eram mais amados, mas por guardarem as informações essenciais para a sobrevivência da tribo ou do povo. Em muitas famílias atuais, também, os velhos são objeto de carinho e cuidado, como é normal em famílias saudáveis. Outras vezes, suas necessidades são impossíveis de serem atendidas em casa, e precisam de clínicas geriátricas: poucas, nem sempre boas, habitualmente caríssimas.

Crianças (educação, boas creches) e velhos (saúde pública, boas geriatrias, bons cuidados) são os dois extremos mais necessitados da humanidade. Por alguma razão, não são os maiores objetos de atenção, a começar por governos, que cruelmente os ignoram mesmo fingindo interesse.

Criado o ciclo da culpa e do improviso, todos saem prejudicados numa sociedade fria e fútil: todos são vítimas, todos passam mais trabalho do que seria preciso, e perdem-se elementos ainda atuantes mesmo que num pequeno grupo.

Para compensar a juvenilidade que passou, bom é rir um pouco de si mesmo, não considerar trágico o fato de ser hoje mais difícil calçar o sapato, levantar do sofá, a vista estar cansada e nos seduzirem menos a farra e a festa. Podemos, isso sim, aprender a usar o computador, a viajar pela internet, a nos comunicar pelo messenger e outros recursos, e a ser mais serenos e positivos — pois enquanto o corpo encolhe, a mente e o coração podem continuar se expandindo.

Com muito mais gente envelhecendo ainda ativa, e a quase inexistência das antigas famílias numerosas, vivendo em grandes casas que abrigavam os velhos pais, ou tios, ou irmãos solteiros, é imperiosa uma mudança prática em relação a essa fase da vida. Não só às famílias, mas aos governos cabe cuidar de que os velhos sejam atendidos, tenham saúde e segurança, novas possibilidades de ação, atuação, lazer e, por que não, trabalho — desde que assim desejem. Pois o trabalho nem sempre é essencial, embora se afirme o contrário. Deveríamos poder nos preparar para curtir a vida sem compromisso de horário, emprego, compromissados apenas com prazeres que antes talvez não houvesse tempo ou disposição de curtir: leitura, internet, amizades, família.

Mas na cultura da agitação, curtir uma fase para se entregar ao luxo de não fazer nada parece vergonhoso: ou estamos em atividade, ou temos de nos resignar a ficar num canto, quem sabe vestidos de palhaços numa peça de teatro infantil.

Merecido descanso, ócio criativo, quietude plena, não ocorre a quem, como tantos de nós, tem a alma musculosa e ossuda, cultivada numa esteira que corre para o nada.

•

Sem ilusões: nem sempre a idade avançada é boa, assim como juventude e maturidade não são sempre fáceis. A sombra mais ameaçadora pairando sobre o passar do tempo parece ser atualmente a doença de Alzheimer.

Todos temos dentro de nós temas que retornam, ressurgem, transfigurados, com diversas máscaras e roupagens, e insistem em aparecer: são os fantasmas de cada um. Um dos meus, e dos mais tristes, é o de minha própria mãe morta aos noventa anos, depois de bem mais de uma década paulatinamente envolvida na mortalha mental do Alzheimer. Uma bela mulher ativa tornou-se inexoravelmente uma estranha.

Aos poucos, de filha fui me tornando a cuidadora, a visita, depois eu já não era ninguém. Seu universo foi reduzido a uma confusa floresta de fantasias onde comemorava 15 anos, era noiva ou tinha um bebê. Podia ser mais bem-humorada na alienação do que nos últimos anos de lucidez ameaçada, nos quais eventualmente perguntava: "Será que estou ficando louca?!" E a gente respondia, tentando parecer natural: "Que bobagem, eu estou muito mais esquecida do que você!"

Nos primeiros anos, em certos momentos ela parecia a mulher elegante de outros tempos: "Você quer um chá?", perguntava dez vezes, porque ao indagar já o tinha esquecido.

Da última vez que estive com ela, que acabava de fazer noventa anos (sem se dar conta disso) e havia muito não pronunciava uma palavra, de repente minha mãe entreabriu os olhos e disse nitidamente para si mesma, para alguém — para ninguém: "Que bom estar assim, tão leve e tão jovem."

Nem mais uma sílaba, nem um brilho de reconhecimento no olhar quando me inclinei para ela. Logo se enrolou de novo em seus lençóis e sua ausência. Poucos dias depois não acordou mais. Fechava-se a última porta desse tão longo corredor pelo qual minha mãe tinha-se perdido havia muitos anos.

Não tenho lido nem ouvido de especialistas de várias áreas nada muito consolador sobre essa doença. Sugestões de prevenção, como atividades e afetos, mas outros meneiam a cabeça: pouco a fazer. Seja como for, o convívio com o doente é difícil, por vezes impossível. A sociabilidade muda, os bons modos se perdem, o controle do dinheiro se torna caótico, e é dificílimo interferir. A família, onerada pela desinformação, espanto e culpa, raramente lida bem com a situação e pouco apoio recebe.

Apesar do dinheiro que parece sobrar para obras grandiosas em setores do governo, pouco é aplicado em saúde e cuidados para os velhos, com boas clínicas a preços razoáveis, onde os que já não podem ficar em casa, por correrem riscos demasiados, possam ser tratados com carinho e decência.

Resta para a família o ônus, por vezes gravíssimo, de cuidar de que o doente esteja bem alimentado, bem abrigado, medicado, protegido de si mesmo, e tratado com carinho, em casa ou em clínicas, quando isso for indispensável segundo conselho médico.

Isso exige superação de tudo o que conhecíamos e vivemos até ali. Como sempre nas doenças graves, devemos lembrar que a vítima não somos nós: é o outro. Nesse processo, que em geral dura muitos anos, não há nada de bom, de belo, de encantador, a não ser o exercício da paciência, do respeito por essa nova dura realidade. Tentar entrar no universo do doente, em lugar de querer que ele retorne ao nosso, pode aliviar muitas tensões. Sem esperar muito retorno, pois em breve seremos chamados de senhor, senhora, moça, não mais de filha, filho, meu querido.

Embora alguns critiquem minha visão pessimista nesses casos, a experiência me diz que para o doente, ou a doente, em estágio avançado desse mal, nem estaremos mortos: nunca chegamos a existir. Pode ser uma forma de consolo, que doentes de Alzheimer, perdendo a lucidez, não se deem conta de todas as manifestações de tão triste enfermidade, nem da dor que ela inflige à família.

Os males da idade avançada não são apenas as possíveis doenças e a fragilidade, a dependência dos outros (nem sempre uma família amorosa existe ou está disponível), mas aposentadorias miseráveis e injustas, saúde pública caótica, velhinhos esperando dias nas filas dos postos de saúde, morrendo no chão dos corredores em hospitais superlotados com médicos exaustos, inexistência de remédios gratuitos e de clínicas geriátricas decentes onde mesmo sem posses alguém possa terminar seu tempo cercado de cuidado e respeito.

Também isso depende parcialmente de nós: exigir, bradar, protestar, votar diferente e melhor, estar atentos, interessados e participantes. Estaremos cuidando também da nossa futura velhice — ela pode não ser maravilhosa.

•

A porta que não escolhemos (a não ser os melancólicos suicidas) um dia há de se abrir. Nem sempre lenta, às vezes sôfrega, vai nos entregar à Senhora Morte, que desde que nascemos nos aguarda atrás dela.

O que existe do lado de lá fica por conta das crenças ou descrenças de cada um. Podemos filosofar a respeito, mas para a maioria refletir é desconfortável e inusitado. Religiões, crenças ou crendices fazem esse trabalho por nós, com imagens prontas: seremos almas vagando pelo céu ou penando no inferno; vamos nos fundir com a terra, nossa mãe comum, e virar poeira, adubo, plantas, novas estrelas; vamos reencarnar como gente ou bicho; ou tudo se apaga como num sono sem sonhos.

Posso acreditar em quaisquer teorias. Por exemplo, quem morreu se reintegrou na natureza; preservou-se nos seus genes, em seus filhos e netos; faz parte da energia maior; enveredou por uma outra dimensão; é uma alma. Cientistas eventualmente pensam que morrendo passamos para outra dimensão, para universos paralelos.

Além do mais, quando sobra tempo para o luxo de filosofar? Temos contas a pagar, filhos a criar, trabalhos a cumprir, modelos a tentar seguir, e como ninguém é de ferro, a gente quer se divertir um pouco em lugar de questionar.

Raramente observamos de verdade a natureza, com suas leis, sua força, sua crueldade e seu esplendor. Assim como animais e plantas, passamos por todas as fases naturais da existência, e tudo se encaminha para o fim. O último trecho é a tão temida velhice.

Não sendo a morte nem original nem rara, devíamos aprender a seu respeito o que nos ensina, ou tenta ensinar, a natureza: árvores novas e dignas árvores muito velhas são feridas por um raio ou pela mão do homem, ou simplesmente envelhecem e morrem e se desfazem segundo leis naturais. Mas porque estamos longe do que seja natural, ignoramos o fim, olhando para outro lado, até que ele passe de um aceno distante a uma batida fatal na nossa porta.

Por mais que os noticiosos falem de pais de família mortos com um tiro na cara e mulheres grávidas atropeladas sem socorro; por mais que adolescentes se matem drogados ou correndo em desatino pelas estradas em automóveis que ainda nem controlam; por mais que ao nosso lado de todas as formas se banalize a morte, pela pobreza, pelo abandono, pelas guerras e terrorismo — quando atinge alguém próximo ela nos faz estremecer com o medo de que nos aponte o dedo, e pela consciência do nosso despreparo.

Já vi pessoas enfrentando a aproximação do fim com estoicismo e serenidade, seja pela fé que as anima, de que existe uma vida além desta, seja pelo sentimento de que viveram da melhor forma que puderam, ou ainda por terem uma crença que não cabe nos ditames de uma religião: voltar para a natureza; continuar como alguma forma de energia; entrar no mistério que para elas sempre esteve presente, como uma divindade a ser respeitada. Ou algo a ser enfrentado com firmeza, por ser inevitável e porque nada justificaria, no fim de uma vida digna, legar às pessoas amadas uma imagem de desespero e de revolta.

De todas as experiências ligadas ao morrer, a mais chocante é com certeza a morte de uma criança. A toda hora, aqui ao meu lado, ou no outro lado do universo, milhões de crianças morrem de fome, abandono, falta de higiene, falta dos mais simples cuidados. Porém, as sociedades e os povos e as gentes continuam em seu ritmo e rota, como se isso não lhes dissesse respeito. Nós, cultura avançada e progressista, seguimos comendo, bebendo, dirigindo nosso carro ou andando de metrô, trabalhando, consumindo, dormindo quem sabe placidamente depois de uma pílula redentora.

Diz o filósofo Marcel Conche que o sofrimento de uma criança é a refutação da existência de Deus. Eu acho que a dor de uma criança enfatiza o enigma no qual estamos mergulhados, e que não é silencioso: ele fala alto. Então nos atordoamos para não ouvir, fugimos dele para não o perceber, recorremos a mil atividades e distrações, numa agitação insana, andamos e não chegamos nunca — nem sabemos aonde queremos ir.

Eu nunca tinha visto uma criancinha morta. Nunca tinha ido ao velório de uma, e quase me acovardei. Mas o carinho pela família, e por essa menininha que tantas vezes vi correndo e brincando, com a qual tive alguns diálogos deliciosos, me deu coragem. E fui. Depois de seu longo sofrimento, a pequena dormia o seu sono secreto. Nós, adultos, chorávamos.

Lembrei das vezes em que encontrei aquela figura travessa, inquieta, corajosa, de grandes olhos escuros que me fitaram, sérios, quando lhe perguntei brincando:

— Você não quer um dia desses dar uma volta comigo na minha vassoura de bruxa?

Ela disse, simples e firme:

— Eu quero!

Fiquei lhe devendo isso. Por ter sido muito amada, a memória de sua passagem breve como a de uma lanterna mágica que varou o céu permanecerá. O mesmo não acontece com a de milhões de crianças que morrem anônimas, desassistidas e até desamadas — porque nós, sociedade desumana e fútil, não olhamos por elas.

•

São muitas as indagações neste novo século, com sua abundância de tecnologias, recursos, brinquedos infantis e adultos. Modernidade e pós-modernidade são termos pronunciados com satisfação de quem realiza grandes coisas numa paisagem estimulante. Porém, nela, cada vez mais, estamos inseguros, estamos inquietos. Não sabemos como conduzir a vida, como educar os filhos, como lidar com os velhos, como acertar os ponteiros de nossas ambições com os das nossas possibilidades, o que fazer do nosso tempo, na grande interrogação da sua medida: quando, quanto?

O moderno depressa se torna antiquado, o assustador se banaliza, o banal arranca a máscara e careteia irônico ou sombrio, fechando o círculo vicioso da perplexidade.

Quebraram-se padrões de comportamento e não se fixaram outros. Tudo parece valer, e isso nos faz vacilar: o que é bom, o que é mau, o que deve ser rejeitado, e o que mais precisamos perseguir para sermos belos, felizes, invejados? Nosso desejo em geral não tem a ver com liberdade ou projetos, mas com imitação de modelos que se atualizam a cada semana. Indagações variadas nos perturbam, e temos poucas respostas.

A família está acabando?

Com tanta tecnologia, ainda haverá trabalho humano num futuro não tão distante?

Estudar para que, se não temos emprego?

Casar para que, se logo a gente se separa?

Impor limites a filhos, se assim vão se afastar de nós?

Tentar algum rigor com alunos, se depois os pais podem nos processar?

Ser duros com criminosos, se logo os direitos humanos vão nos acusar?

Ainda valerá a pena ter filhos neste caos?

Em quem acreditar se tantos de nossos líderes parecem corruptos, e alguns dos melhores são perseguidos?

Se a política já não inspira confiança, o que vai ser do povo, do país, de nós? Vale a pena a democracia? Ela funciona? Existe alternativa que não seja um regime de ferro que não queremos?

Ainda existe moral? Posso querer moralidade sem ser moralista, sem parecer ridículo?

Religião ainda tem sentido nesta civilização iconoclasta e que se diz avançada?

Para que construir uma civilização mais humana, se um botão pressionado por alguém insensato pode acabar com tudo agora mesmo, e se a natureza agredida pode nos liquidar com uma catástrofe?

Com tantas incertezas, proliferam receitas e teorias infundadas. Como ter sucesso, como ter um corpo perfeito, como enriquecer, como agarrar seu homem, como enlouquecer sua mulher, como criar seu filho. Mães de filhos bem pequenos, relativamente informadas, procuram a emergência do hospital para que uma enfermeira corte as unhas do bebê. Temos cursos para aprender a amamentar os filhos, aulas sobre como os segurar no banho, e no tema de sua criação reinam as mais estranhas ideias: o velho espírito prático cedeu lugar à consternação. Teorias demais paralisam o instinto natural. Quem ainda quer ser natural?

Nessa falta de parâmetros, a tentação de experimentar pode se tornar uma ideia fixa. Tudo parece estar disponível: riqueza, beleza, juventude eterna, viagens, prazeres, promiscuidade (o que é que tem?), mil modos de abafar dúvidas e angústias.

Queremos presença e segurança, porém, em vez de estímulos e ajuda, sofremos desde muito cedo mil cobranças: O que você vai ser? O que vai estudar? Como, fracassou em mais um vestibular? Já transou? Nunca transou? Onze anos e ainda não ficou? E ainda não bebeu? Nem experimentou uma maconhazinha sequer? E um viagra pra melhorar ainda mais? Ainda aguenta os chatos dos pais? Saiba que eles te controlam sob o pretexto de que te amam. Sai dessa! Já tendo que trabalhar? E mais tarde: Quarenta anos, e ganhando tão pouco? Tanto compromisso? E não tem aquele carro? Nunca esteve naquele resort? Não viu aquele filme, nem assistiu àquele espetáculo?

Como raramente cumprimos esses mandados, já ao levantar de manhã nos acompanha a sensação de que algo está errado conosco: dúvida e frustração. Somos severos cobradores das nossas próprias ações.

No esforço de realizar tarefas que talvez nem nos digam respeito, tememos olhar em torno e constatar que muita coisa falhou. Se falharmos, quem haverá de nos desculpar, de nos aceitar, onde nos encaixaremos, nesse universo de exitosos, bem-sucedidos, ricos e belos? Pois não se permite o erro, o fracasso, nesse ambiente perfeito. Duro dizer "amei torto, ignorei meus filhos, falhei com minha parceira ou parceiro, votei errado, fracassei na profissão, não ajudei meu amigo, abandonei meus velhos pais e esqueci meus sonhos".

Queremos, mais do que o possível, o espantoso: atividade, dinheiro, saúde, perfeição física, competitividade no trabalho, desempenho no amor, quem sabe até a foto naquela revista, a entrevista, os segundos de fama.

Mas sofremos a solidão no quarto, a ausência à mesa, a alegria perdida, o rosto onde nada combina, o silicone que escorre, a cicatriz que ressurge, e o tempo que ri de nós porque não o soubemos encarar. Enquanto nós, teatro mambembe de pequenos absurdos, ainda não encontramos nem a roupa nem o texto, nem sabemos quem vai nos dirigir, plateia de nós mesmos, sentada no escuro.

Carentes de uma escuta interessada, não temos com quem falar. Para as decisões que devíamos tomar (às vezes o melhor é não fazer nada, mas refletir um pouco), precisamos de informação, que nasce da comunicação. Mas, no século dos mais altos decibéis, quando se trata da palavra somos desajeitados: temos medo de falar, e temor de silenciar.

3 | *A palavra difícil*

O cenário é uma casa,
cabana ou castelo.
Alguns manequins de plástico
são os atores:
soldados, reis, servos
— e alguém que já morreu.

Portas abrem ou fecham
num longo corredor,
para eu inventar objetos
e falas.

Porque teatro é mentira,
posso mudar tudo:
criar árvores no mar,
pássaros e trilhas
que se entrecruzam
incomunicáveis.

(Mas por cima,
como estrelas,
eu vou botar
palavras.)

A *incomunicabilidade humana* é um fato. Em parte pela nossa natural dificuldade, em parte porque "a alma do outro é uma floresta escura", como disse o poeta Rainer Maria Rilke, meu autor de cabeceira. Diante dela hesitamos, entre fascínio, medo e desejo: a ferramenta para abrir esse território é a palavra, com seu parceiro, o silêncio. Não sabemos bem o que fazer com nenhum dos dois, assombrados pelo mito de uma união ideal, uma comunicação total que nos salvasse do isolamento (ou do vazio).

Dizem que a boa comunicação é tudo, mas sem querer produzimos mal-entendidos e mágoas involuntários. A realidade é que nos comunicamos pouco, e mal, e somos assim. Essa é uma condição natural dos humanos, como nascer com algum defeito físico do qual não temos culpa, mas perturba.

Além disso, há no outro uma reserva de mistério, um desejo de privacidade, que se defende de intrusões, por mais ansiedade que isso nos cause.

As almas não vestem uniforme como nos antigos internatos ou nas festas modernas: somos individualidades entre as quais aqui e ali se constrói uma ponte, mas também se erguem paredes, que podem ser de vidro ou pedra bruta.

Saber se comunicar, no trabalho, no cotidiano e na vida pessoal, é uma dádiva. Abre portas e janelas, promove generosidade e acolhimento. Mas é raro. Em geral somos enrolados, somos tímidos, guardamos rancor, ou somos arrogantes — outra face da insegurança e do medo.

De saída olhamos o outro com suspeita: será que ele me entende? Será que fala a verdade? Será que posso baixar a guarda?

O mito da palavra perfeita que produziria o diálogo absoluto salvando-nos do isolamento e impedindo mal-entendidos torna mais crítico o problema. Por ser na comunicação que se baseia boa parte de nossas relações afetivas, educação, trabalho e progresso, essa expectativa infundada pode ser fatal.

Casamentos, famílias, trabalho, projetos podem acabar em decepção: porque desejamos a perfeição, não conseguimos produzir o razoável.

Nossa ambiguidade não ajuda: quero amar, mas não quero que o outro descubra o que preciso esconder, e quem sabe ele há de querer me controlar. Penso em ficar só, mas minha natureza pede diálogo e afeto. Uma vida dividida numa boa relação é com certeza uma vida enriquecida. Mas, se eu for traído, se for mal interpretado, se me machucar?

Temos medo de falar, e de calar; terror de não ser ouvidos, e de ser escutados. Quero falar, mas exijo ser inteiramente compreendido, e assim me frustro; prefiro calar, para não assumir a responsabilidade sobre o efeito das minhas palavras, e assim me isolo.

Em todos os relacionamentos — amoroso, familiar, entre amigos, entre mestre e alunos, entre artista e seu público, com cientistas ou lavradores — a comunicação é raiz de muito desencontro. Quando porém floresce, são pétalas de maravilha, pura música (mesmo para quem não distinga uma só nota e desafine).

A transformação pessoal e as mudanças sociais se dão com maior ou menor facilidade, à medida que palavra e silêncios falham ou produzem o desejado efeito. Não por sermos maus, ou incapazes, mas porque até à morte nos conheceremos pouco, pior ainda ao outro, e frequentemente nem nos damos conta disso. Apenas somos infelizes. Se nem sei direito quem sou, como conhecer melhor o outro, meu pai, meu filho, meu parceiro, meu amigo ou meu competidor — e como acertar no que devo dizer ou calar? Como cuidar para que uma relação floresça em vez de nos envenenar?

No relacionamento em que se deseja uma boa parceria, importa muito o aprendizado do equilíbrio entre rotina e mistério, surpresa e monotonia; entender que a banalização corrói o necessário encanto. Que cada um tem sua reserva pessoal impossível de partilhar mesmo no maior amor. É preciso poder rir juntos, não um do outro. (Rir de si mesmo, sem sarcasmo, pode ser um grande alívio.)

Sempre seremos dois: ser um só é a ilusória promessa de um romantismo cruel.

•

Comunicação não é invasão, assim como amor não é controle. Comunicar-se bem nada tem a ver com partilhar tudo, até o mais remoto pensamento e o mais secreto sonho — nem mesmo entre amantes. Vasculhar a alma do outro pode trazer decepções, não porque ele cometa pecados extraordinários, mas porque esperávamos encontrar ali a perfeição, e o outro se sentirá agredido.

Porém temos uma verdadeira obsessão por nos intrometer em tudo, saber tudo, explorar e expor, nos outros ou em nós mesmos, até para o público. Perdemos, em algum momento, um pudor que não era hipocrisia. Queremos abrir braços, pernas e alma. Nada pode ficar oculto, o secreto nos parece ofensivo.

No entanto, a mão na maçaneta não precisa expor a alma: uma onda de confusão entre público e privado nos faz deparar com o grotesco e o penoso de vidas que nem conhecemos, de ditas personalidades que se descuidaram, ou que precisam do palco permanente e de baixa qualidade. Queremos ser vistos, queremos ser importantes, famosos se possível, olhados na rua, invejados no restaurante, comentados nos corredores — ainda que pelas nossas misérias.

Parte da mídia nos estimula a isso, as revistas de fofoca, os blogs, o Twitter, as colunas que querem espiar nossas entranhas e, quando não podem, inventam. Com calcinha ou sem calcinha? Ficando ou casando? A doença da futilidade nos contamina, e se não cuidarmos vamos deixar que os outros nos enxerguem nos menores detalhes. Infantilmente, esperamos que nos entendam. Mais grave ainda: queremos que nos aprovem.

Também queremos saber da intimidade de todo mundo, os mais desinteressantes ou escabrosos fatos. Meninos filmam aventurinhas sexuais com colegas no celular, e botam na internet. Horror na família, ninguém sabia de nada, em geral nem quer saber. A doença de uma famosa atriz, seu lento morrer, são filmados pela própria família, e depois exibidos nas tevês do mundo. Para quê? Para ajudar aos outros doentes. Será? Como a transa, a morte também deve ser filmada, ainda que no celular (tão prático...), exposta e celebrada — ninguém está a salvo de um voyeurismo doentio.

Se a nossa batalha foi para derrubar preconceito e hipocrisia, talvez aos novos guerreiros, que vão tomando o bastão das nossas mãos adultas ou envelhecidas, caiba instituir novos rituais: que a gente se divirta sem se matar, que ame sem se contaminar, que aprenda sem se enganar, que viva sem se vender, e morra acreditando em alguma coisa.

Ou será utopia, e tudo vai permanecer como está: a morte usando apelido (como a velhice) e envenenando nossa raiz porque não a sabemos aceitar, por mais cruel que isso seja; a bondade feito uma máscara encobrindo nosso rosto menos cordial; o fingido interesse no outro disfarçando o tédio e o horror à pobreza que pode ser tão dolorosa.

Legiões e legiões de analfabetos, pobres, doentes, esquecidos e explorados apontam-nos o dedo a cada hora de cada dia. Moradores de rua, crianças moribundas, drogados embaixo de pontes, prisioneiros apodrecendo em prisões onde não botaríamos nossos porcos, velhos abandonados, doentes desassistidos esperam uma atitude nossa.

Mas estamos ocupados correndo na esteira, preenchendo rugas, ressecando a alma quando haveria tanta coisa bem mais confortadora a fazer, ao menos a tentar.

Nossa história não precisa ser de destruição, nossa experiência fundamental não precisa ser omissão, nossa procura não precisa ser vã. Regras podem ser mudadas, governos trocados, sistemas substituídos, costumes renovados, amores reanimados, abrigos construídos, e braços podem ser estendidos para ajudar, não para receber a droga na veia.

•

Por que se calam os amantes?, pergunto,[1] e não são apenas o casal amoroso, mas quaisquer pessoas ligadas (ou supostamente ligadas) por afeto. Calam-se por não saberem o que e quando falar.

Falamos quando devíamos ter silenciado, e calamos quando a palavra teria sido essencial: mas a gente não sabia. Nisso reside um dos maiores dramas nas relações interpessoais. Pois alguém irá cobrar, talvez anos depois: "Aquela vez, naquele lugar, você me disse isso, e até

---

[1] *O silêncio dos amantes*, contos, Record, 2008.

hoje me dói". A gente pensa, repensa, mas não lembra: "O que foi, quando foi? Eu jamais teria dito isso, sobretudo se ia te ferir."

Mas o outro insiste na sua dor.

Surpresas chocantes podem nascer de situações aparentemente simples: pessoas comuns em sua vida sem graça, durante anos e anos de convívio sem grande conflito, pensam estar tudo bem. Sem nenhum sinal, às vezes sem uma palavra sequer, irrompe a violência, que pode ser física, ou moral, como uma traição ou um suicídio.

Para o sempre do sempre, o peso da culpa permanece sobre os demais. Em que momento ele quis pedir ajuda e não percebi? Quando ela pensou em se abrir comigo, mas eu estava com pressa? Ontem ainda ele jogava bola comigo, e hoje vem a notícia de que saiu de casa, desapareceu, virou morador de rua, se matou.

Esperamos demais, nessa mitificação dos amores maravilhosos, das uniões absolutas e dos recados impecavelmente transmitidos. Talvez seja preciso encarar o outro, filho, pai, amante, colega, como um indivíduo com seu espaço reservado, suas necessidades, privacidade e muros inarredáveis. O desejo frenético de possuir a criatura amada torna-se destrutivo, e afasta por susto o objeto desse delírio. Uma boa dose de bom-senso, ao qual me refiro várias vezes neste livro, um equilíbrio possível, um respeito da parte dos dois, amante e amado, pai e filho, amigo e amigo, ajudariam a ter equilíbrio e naturalidade.

Mas os modelos que nos oferecem no que diz respeito a amor e família são tantas vezes irreais, tantas vezes insensatos, e nós fracos demais, com pouca bagagem emocional para discernir isso, que nos sentimos obrigados à mentira da união perfeita.

Se fôssemos mais comedidos nas expectativas, mais tranquilamente respeitosos uns com os outros na mais intensa afeição e confiança, ou na melhor parceria de trabalho, poderíamos reter, cada um, a naturalidade necessária para preservar a liberdade a dois, que caracteriza uma relação positiva.

Uma parceria possível, face branda do drama de conviver, depende do que eu chamo de silêncio bom: que apara arestas e abre espaços de comunicação real. É a não necessidade de estar sempre falando, de falar por falar, de falar freneticamente, entre pessoas seguras de sua relação e cumplicidade. Ficam felizes sentadas juntas, cada uma lendo seu livro, seu jornal, fazendo seu trabalho. De vez em quando uma palavra, um gesto de afeto, reforça em torno delas um círculo de harmonia.

Lembro dessa experiência quando em casa de meus pais. Ambos tinham uma capacidade rara de ficar longos momentos em silêncio, e instalava-se entre os dois um tal clima de afeto, uma tal confiança e parceria, que esse silêncio deles invadia a casa e, onde quer que eu estivesse nela, me dava segurança e paz. Olhavam o jardim, as árvores, comentavam coisas do dia, dos amigos, dos filhos, do trabalho dele eventualmente, mas abriam-se longos trechos de quietude — quando se percebia quanto estavam contentes. Sua comunicação, como a de tantos bons casais, ultrapassava as palavras.

Ou talvez não esperassem a comunicação total de que falam os amantes no início da sua paixão: eram mais sábios.

Nós, porém, curtimos o barulho como se fosse uma sinfonia. Precisamos nos atordoar com decibéis, música ao vivo, alto-falantes na praia e na piscina, música altíssima na academia, televisão a todo volume, iPod sempre ligado, grandes manchetes gritando nos jornais, tique-taque permanente do Twitter, derramamento de informações e confissões nos blogs e afins.

Calar-se ou ser mais reservado pode parecer indiferença ou rejeição, pode ofender.

Porém quando o falar aflito se torna desnecessário, o sentimento é real e seguro e as expectativas mais realistas, podemos escutar a alma do outro até na sua respiração. Podemos dizer muito em letras pequenas; podemos passar mensagens certeiras mas não fatais.

Os bons amantes não vão se calar por mágoa ou impotência, mas porque algo os expressa melhor do que as mais eloquentes palavras.

O mais produtivo silêncio é o da contemplação da arte (ou da natureza ou do nosso próprio interior), e o que destinamos a refletir. Não necessariamente buscando altos conceitos e teorias complexas, mas no sentido de observar e analisar as coisas, de nos espantarmos com algumas, exercendo a curiosidade que nos é natural, mas que reprimimos. Temos receio de parecer esquisitos se quisermos falar sobre qualquer assunto menos trivial; ou não teremos parceria.

Ou imaginamos grandes discursos, leituras difíceis, ideias complicadas de filósofos de nomes mais complicados ainda.

Talvez a gente devesse aprender com as crianças, que, como as pessoas muito simples, são filósofas ao natural, e disso vou falar logo adiante.

•

O mito da família feliz. Que obscura, doce e amarga teia, que trama singular reunindo estreitamente pessoas que não se escolheram e talvez jamais se escolhessem. Semente de neuroses, colo de aconchego, pátio de tormentos e brincadeiras — nunca nos cansaremos de falar dela.

É um de meus temas centrais, desde meus primeiros romances: doente, neurótica, disfuncional, teatro de minhas personagens loucas. Nem todas são assim, mas a mim interessa o lado avesso das coisas: o luminoso serve para a vida. O sombrio, para a ficção.

Se no amor imaginamos uma fusão redentora, no convívio familiar perseguimos o sonho infantil da família modelar, pátio de risos e rosas, pessoas sem defeitos formando um grupo onde não há injustiça, incompreensão, traição, gritos ou palavras duras, aspereza e isolamento.

Isso não é uma família feliz (seja isso o que for), mas uma família de livros de história. Por essa idealização ingênua, com experiências reais de frustração e dor, o tema nos atinge com mil pontas que picam e arestas que cortam, labirintos emocionais onde a gente se perde.

Também há possibilidades de aconchego; existe o lado bom, não como processo desindividualizador, mas como escola de confiança, autopreservação, e competitividade positiva, para quando a vida não for mais um colo de mãe.

Meu conceito de família vai além dos laços de sangue: abrange aquele grupo de pessoas — e pode ser uma só — que, mesmo quando não me entendem ou aprovam, me respeitam e me querem bem. Minha gente, minha raça, meu país emocional — do qual ora me sinto exilado, ora chamado e acolhido.

A realidade é que família não é para "ser feliz": é para lutar juntos, ou uns contra os outros; para preparar para futuros embates e decisões positivas; formar boas lembranças, ser base de projetos, dar força para guerras particulares que virão.

Saudável seria a família a um tempo protetora e estimulante, que nesse difícil equilíbrio deixasse o filho criar asas e, na hora certa, sair do ninho — continuando atenta sem ser controladora: uma asa quebrada, uma pata ferida, um desastre poderiam ser consertados até mesmo numa breve visita.

Mas não é sempre assim: que o digam consultórios de psicólogos e psiquiatras. Os parceiros que têm de lidar com traumas do outro, filhos com quem adultos repetem padrões infelizes de sua própria meninice. Difícil o convívio estreito, constante e obrigatório do qual só escapamos com independência econômica, ou no qual, sem autonomia, permanecemos como numa jaula.

Quanto mais o mundo externo ferve de ofertas e indagações, e sua força centrífuga nos desorganiza enquanto cultura e indivíduos, mais a questão "família" se torna pertinente e até central, pois cada vez mais precisaremos dela como ponto de apoio e centro de referência.

•

"O *quinto mandamento*, 'Honrarás teu pai e tua mãe', não existiria se essa relação não fosse intrinsecamente conturbada", costuma dizer uma amiga, experiente terapeuta. Acho isso de grande sabedoria. Pois para uma parcela razoável de adultos, a infância e a meninice numa casa fria, hostil ou mesmo violenta deixaram marcas negativas que vão dificultar seus futuros relacionamentos pessoais ou profissionais. Estarão sempre na defensiva, sempre desconfiados, com dificuldade de acreditar em amor real e bons afetos, com a confiança rarefeita.

Alguns dos conflitos familiares são antigos, são eternos: o choque de gerações e de vontades, o desejo de controlar de um lado e a vontade de escapar de outro, o cansaço dos adultos tentando administrar as diferentes personalidades dos filhos e suas dificuldades pessoais. Os jovens, por sua vez, querendo entender sua própria natureza, reagem instintivamente contra a intromissão de pais ansiosos, e se angustiam na ambivalência entre desejo de autonomia e insegurança.

Tudo isso piora se os pais rigorosos demais não os ajudam a cultivar uma boa autoestima, a confiar o suficiente em si mesmos e nos outros, ou, excessivamente protetores, tiram dos filhos a oportunidade de lutar, conquistar, construir uma existência própria.

Esses são apenas alguns dos habituais pontos de discórdia ou de más lembranças. Acrescentem-se as múltiplas novidades que os adultos não conseguem acompanhar e os moços nem sempre sabem usar com cautela, não só na tecnologia como nos costumes: está instalada uma guerra sem vencedores.

Eventualmente, pais seduzidos pelo "ter de" ser modernos, ter de ser amiguinhos dos filhos, ter de estar em forma, ter de parecer juvenis a qualquer custo, ou ter de se afogar em trabalho ("não tenho tempo"), acabam sendo omissos. Eles têm de comprar para os filhos brinquedos, jogos, roupas cujo preço os endivida por vários meses. Festas que deveriam ser celebração acabam sendo um tormento para os adultos, e altamente deseducativas para os moços e crianças.

Na liberalidade reinante, pais já não sabem o que fazem filhas de onze anos em festinhas sem o cuidado de adultos; pré-adolescentes transam, curtem maconha ou drogas pesadas, depois que o primeiro copo de bebida ou o primeiro cigarrinho abriram essa porta. Numa grande festa, jovenzinhos bêbados ou drogados vomitam ou dormem nos banheiros de um clube elegante. (Adultos passam cuidando para não sujar os sapatos.) Só acontece algo quando uma dessas crianças realmente passa mal, e é preciso chamar a ambulância.

Onde estavam os pais?

Adolescentes e pré-adolescentes fazem rachas alta noite ou cambaleiam pela calçada ao amanhecer, jogando garrafas em carros que passam, insultando transeuntes — mais uma vez, onde estão os pais? Afastados de tudo isso porque "não fica bem" vigiarem tanto, porque os filhos e filhas vão ficar indignados, ou porque todo mundo faz assim?

Sei de meninas parindo sozinhas no banheiro, e ninguém em casa sabia que estavam grávidas. Elas simplesmente não existiam, a não ser como eventual motivo de consternação: "Não sei o que fazer com meus filhos."

Pais acham que internet e coisas do gênero são modernas demais, daria muito trabalho aprender a lidar com tudo isso, ou iriam se sentir ridículos. Como não saber que sites de internet as crianças e adolescentes frequentam, onde passam o fim de semana e com quem?

Como não saber o que se passa com eles?

No entanto, embora não sendo onipotentes, por tudo isso somos responsáveis. Este é um dos dramas da maternidade e paternidade: teve filho, é responsável. Quem ama cuida. Quem ama se informa, se interessa. E que seja com alguma paciência, ou não vale. Não funciona. É de mentira.

Perdemos também nesse contexto alguma sensatez: não escutamos a voz arcaica que nos faria atender adequadamente às crias indefesas — e não me digam que crianças de onze anos ou adolescentes de quinze dispensam pai e mãe.

Se numa ponta temos pais negligentes, na outra estão os excessivamente assustados com tantas novidades e compromissos, carentes de orientação, conscientes do dever de cuidar, mas sem saber como. Então exageram: fecham janelas e portas, acumulam proibições exageradas, crescem os confrontos, todos sufocando num ambiente carregado de agressividade e tensão. Mais que isso, de culpa, da qual a família é tão poderosa geradora — em parte porque é um convívio complicado, em parte pelas expectativas já mencionadas, de que a família tem de ser harmoniosa, e "feliz".

•

Família: a dança dos desiguais. Uma das tarefas mais difíceis no grupo familiar é perceber e aceitar as peculiaridades de cada um, e tratá-los tendo isso em vista. Pois isso se baseia em nosso senso de justiça, que geralmente é dar o mesmo a todos, seja tratamento, amor, dinheiro, oportunidades.

Não concordo: justiça é dar a cada um aquilo de que ele precisa — o que é bem mais difícil, sobretudo quando envolve sentimentos complicados.

A cada bebê que nasce, não é difícil distinguir qual será uma criança solar, mais inclinada à alegria e ao prazer, e qual será mais zangado, mais obstinado, talvez mais vitorioso, mas de vida mais difícil. Genética psíquica, não importa como queiram definir, é uma realidade: nascemos com ela, que vai nos marcar pelo resto da vida, tendo que ser administrada com talento e inteligência. E também os mais jovenzinhos, se não forem inibidos e cerceados demais, cedo começam a perceber isso: os adultos da casa têm seu jeito especial. Bom preparo para futuros convívios vida afora.

A soma das individualidades complexas, com suas necessidades, sonhos e limitações, cria o clima fundamental de cada um desses grupos. Que é heterogêneo como qualquer ajuntamento humano, podendo se expressar com hostilidade e frieza, ou camaradagem e acolhimento.

Precisamos de autoridade (da qual tantos pais se eximem ou têm medo) e bondade, que não é dom de todos: um equilíbrio entre ambas seria a garantia, parcial, de que não estamos fundando uma fonte de angústias nem um ninho de ilusões do qual todos hão de sair fragilizados. Brigas, diferenças, acusações e ciumeiras fazem parte do pano de fundo caímico em nossas emoções, e batem o ritmo dessa dança nem sempre harmoniosa, mas vital.

Sendo um grupo em parte reunido pelo acaso, não por opções pessoais, isso que se chama família serve para nos mostrar o quanto somos falíveis, o quanto somos capazes de ciúme, raiva, inveja, e desespero, sem sermos pessoas más, sem termos personalidades deformadas. Serve para exercitar a difícil tolerância, adaptação, realismo, generosidade e consciência de que não somos o centro do mundo.

Entenderemos, com sorte, que não amamos sempre *porque* alguma coisa nos agrada, mas *apesar de* alguma coisa que nos desagrada; que mãe não é santa, nem deve ser vítima; que filhos podem ser saudáveis e decentes, não pequenos cretinos e tiranos de pais confusos numa sociedade de consumo frenético e teorias extravagantes sobre educação.

Com mais sorte ainda, vamos descobrir com a família que pode, sim, haver alegria, solidariedade, raiz boa e mão firme. E que nas reuniões de toda essa tribo, em horas de luto ou comemoração, nem tudo é hipocrisia ou perverso jogo da verdade, mas que existem laços comuns, lembranças boas, que justificam as brincadeiras, as risadas, as provocações, a emoção — até algum brilho úmido nos olhos, quando a gente se encontra. E que isso tem uma importância enorme, sobretudo nas gerações mais novas, quando todos estiverem outra vez dispersados em seus trajetos individuais.

Talvez devêssemos criar outro mandamento: "Honrarás teu filho e tua filha" — mas disso andamos esquecidos, fixados nas dificuldades dos pais. Por mais que se façam campanhas em favor das crianças, ainda falta distribuir milhões de adesivos por todos os continentes, dizendo: Salvem a infância do mundo.

A criança que fomos, criada como quer que tenha sido, com ternura ou violência, continua nos parindo pela vida afora, como nós parimos, com amor e dor, cada dia e cada noite, esses filhos nossos — e a nós mesmos neles.

Mas quantas vezes, ao decidir ter um filho, ou enquanto ele cresce no ventre materno, e mesmo depois, percebemos a gravidade, a solenidade do que está acontecendo? Que direito, que preparo, que sagração temos nós, para assumirmos o compromisso — e o dever — de lidar com algo que é bem mais do que um bebê bonito ou doentio, uma criança feliz ou irritadiça, um adolescente mais ou menos complicado e causador de ansiedades — pois é uma pessoa?

Um novo ser humano, essa ponta do fio de muitas linhagens, de muita genética, de muita emocionalidade, com fundas marcas psíquicas, originado de sabe-se lá que figuras arcaicas, está surgindo de mim, de nós. Vai ficar muitos anos comigo, e com meu parceiro ou parceira. Vai depender dramaticamente de mim, de nós, para as mínimas coisas, desde alimento e higiene até proteção, ternura, ensinamentos básicos e preparação para a vida.

Toda sombra que eu lhe lançar vai sombrear algum recanto de seu futuro, toda claridade que eu puder lhe dar vai iluminar alguma fresta da sua psique quando adulto. Tudo que eu disser ou fizer, o som de meus passos e o jeito como olho para seu pai ou sua mãe vão ter reflexo em algum lugar de seu coração, possivelmente em definitivo. Não só na comovente fragilidade da infância, mas também quando for um adolescente que esperneia, precisado de cuidados e atenção.

Sendo filhos da nossa própria infância, lembramos disso nos muitos conflitos que teremos com as crianças das quais o destino nos fez cuidadores? Como nossa tendência é repetir padrões já vividos, até na escolha de parceiros de vida semelhantes a nosso pai ou mãe (também no que mais nos feriu), vamos reproduzir com essas crianças nossas coisas boas ou más que nos confortaram ou afligiram na meninice.

Que consciência temos disso, ou que controle sobre nossas neuroses e emoções?

Não sabemos. Não temos certeza. O estranho é que, embora milhares de crianças sejam a toda hora paridas neste grande mundo, talvez todos precisássemos de uma terapia para fundar com alguma chance de sucesso esse complicado grupo chamado família, tão influenciado pela sombra agachada, com sorriso benigno ou maligna careta, no vão da escada pela qual subimos.

•

Parar, Olhar, Escutar, diziam placas de aviso nos antigos cruzamentos de trilho de trem na cidadezinha onde nasci.

É uma boa sugestão quando lidamos com gente, em especial com filhos, pequenos ou adolescentes. (Com o parceiro ou parceira também.) O equilíbrio entre duas posturas é, como sempre, ideal e difícil: nem aflitos demais, transmitindo insegurança, nem demais alienados, dando a impressão de desinteresse. A intuição, melhor que qualquer outra coisa, pode nos ajudar a encontrar o meio-termo mais positivo. (Se fosse preciso optar, eu preferiria rigor a omissão.)

Porém pensamos que basta nos importarmos com o desenvolvimento do filho: peso, altura, saúde, alimentação. Quando muito, além disso, alguma boa educação e gentileza — e já é um luxo, porque ignoramos que filhos, mesmo pequenos, são capazes de ter civilidade.

Temos medo de lhes pedir demais, temos pena de que tenham de ser treinados a usar vaso sanitário e escovar dentes. Por alguma razão, julgamos nossos filhos uns pobrezinhos e incapazes; nem nos ocorre observar o suficiente para ver: uma criança distingue e analisa, e, mais que isso, pensa — atividade enfadonha que atribuímos aos adultos.

Sobre esse engano escrevi um livrinho para crianças[2] tentando abordar de forma divertida o tema do filosofar (no sentido mais simples de perceber e indagar) como atividade natural no ser humano — desde a infância. Infelizmente, à medida que crescemos, com a escolaridade, o receio de parecer tolo ou diferente, vamos perdendo a inicial, e natural, capacidade de assombro, observação e interpretações criativas. Vamos ficando menos espontâneos, porque já enquadrados: pela pedagogia, pelos conceitos e preconceitos, por exigências familiares ou imposições sociais.

Se a capacidade intelectual de uma criança fosse mais valorizada, a relação em casa e na escola seria instigante: poderíamos nos aprimorar enquanto pessoas, com questões como a que propõe um pequeno personagem desse mesmo livro:

"Se eu faço uma coisa errada e ninguém vê, ela continua sendo errada?"

---

[2] *Criança pensa*, Lya Luft e Eduardo Luft, Record, 2009.

Criança pensa: muito mais do que imaginamos. Se essa noção fundamentasse as relações de adultos com crianças ou jovens a seus cuidados, que vissem suas naturais aptidões estimuladas, teríamos crescimento, exploração de talentos, descobertas de vida, em lugar de um ensino fraco de resultados caóticos. Mas teremos consciência de nossa importância como adultos cuidadores (pais, avós, irmãos mais velhos, professores) no cotidiano deles?

E se fizermos esse autoexame, o que descobriremos de bom ou de desconfortável? Como nos tratamos uns aos outros em casa? Como falamos do parceiro ou parceira para os filhos? Somos honrados nos negócios e leais no casamento? Vasculhamos gavetas e bolsos dos filhos adolescentes, entramos no seu quarto sem bater, somos irônicos ou brutos com eles, ou os humilhamos na frente de outras pessoas?

Levamos nossas crianças a sério ou as exilamos em seu mundo sendo frios, apressados, ocupados demais?

Tentamos escutá-las de vez em quando, não como crianças, mas como seres humanos — que elas também são?

Podemos ter todos os defeitos da nossa condição humana e frágil; podemos fazer todas as escolhas menos positivas, temos todo o direito de errar: mas, querendo ou não, somos o primeiro modelo das crianças, de um modo bem mais sugestivo do que através de lições de moral ou xingamentos: pelo olhar, a voz, a postura corporal e as atitudes gerais.

Raramente falamos no inverso de tudo isso: como os filhos tratam os pais. Embora em relações familiares e educação nas escolas habitualmente se leve em conta só a perspectiva do adulto responsável, é bom mudar de lugar e imaginar que também filhos, e alunos, pequenos ou adolescentes, podem ter consciência de seus direitos e deveres com relação aos que deles cuidam ou deveriam cuidar.

Crianças não são imbecis, ainda que muitas vezes as tratemos como se fossem, nem são desprovidas de sentimentos, ainda que as deixemos assumir o papel de tiranetes. Nada justifica que os adultos não sejam tratados com atenção, respeito, cuidados, sim. "Eu também sou gente", disse em lágrimas uma mãe de quatro filhos, de pequenos a adolescentes, tratada com grosseria.

Filhos, como pais, têm um dever de amor: e isso deve lhes ser cobrado. Pois desde uma idade razoável, mesmo na infância, sobretudo na adolescência, eles têm consciência de certo e errado, por mais negligentes que os adultos sejam na sua educação. Podem optar também sobre suas atitudes. Podem decidir se vão ser mais amorosos e gentis, ou entregar-se a qualquer impulso agressivo; são capazes de entender que também os adultos têm seus dias menos bons, seus dramas, suas necessidades.

Se isso lhes for aberto desde sempre, melhor. A não ser que a gente lhes feche essa porta, crianças e jovens podem e conseguem se comover, observar, julgar e escolher.

"Pais não conseguem matar simbolicamente os filhos; mas filhos eventualmente conseguem, eles os deletam e seguem em frente", disse certa vez um psiquiatra de família. Tenho minhas dúvidas quanto à segunda parte dessa frase: filhos podem ignorar, deletar, até maltratar os pais. Porém creio (e espero) que isso lhes seja duramente cobrado pela emoção e pela razão, ainda que anos mais tarde.

•

Precisamos de pai e mãe até quando adultos. Sua presença e apoio podem parecer menos essenciais com o correr do tempo, mas com eles, se a relação for boa, somos mais completos — e para isso não há idade.

Morta minha velha mãe, quando eu tinha mais de sessenta anos, dei-me conta de que não tinha mais a quem chamar de "mãe", e foi uma dor estranha. Algo tinha mudado na minha condição. Eu nunca mais seria a mesma.

A humanidade, capaz de coisas grandiosas no campo da arte, das descobertas científicas e da tecnologia, no campo emocional se enreda e confunde. A irracionalidade toma conta, os mitos reclamam sua parte, está feita a confusão nessa situação fundadora: competição, inveja, ressentimento e imaturidade de todos os envolvidos.

Já mulher madura, quando fiz terapia, eu dizia à minha terapeuta: "Você não acha que o ser humano nasce precisado de terapia, que nasce errado, que afinal está dando errado? Todo mundo, ou quase, me parece necessitar basicamente de uma terapia para viver um pouco melhor. Ou pelo menos precisamos dar uma paradinha na vida e refletir sobre o que a gente anda fazendo consigo mesmo."

Alguns vão arquear a sobrancelha num misto de espanto e ironia, mas acredito em alguma forma de viver e conviver com menos violência e raiva, menos pobreza concreta e emocional, mais prazer que não seja suicida, mais alegria que não seja forçada, menos medicamentos para suportar a vida, mais crenças em coisas positivas. Em um equilíbrio entre silêncio e grito, para que a gente possa se comunicar sem expectativas nem ceticismos demasiados.

Não há roteiro ou bula, nem há receitas ou teorias que nos ajudem. Como Joana d'Arc ou Dom Quixote, guerreiros e patéticos ao mesmo tempo, brandimos palavras e criamos lemas, desfraldamos bandeiras e buscamos as nossas glórias. Dar ao mundo filhos decentes, produtivos, que por sua vez vão construir vida, profissão e família com um grau razoável de neurose e drama, é uma glória.

Mas acontece olharmos consternados aqueles a quem achamos que tínhamos passado a tocha, o bastão — e vermos que quase nada nos liga a eles, ou pouco os liga a nós: praticamente nem nos conhecemos. Filhos e filhos de filhos andam por um mundo de liberdades e possibilidades que a gente mal entrevia, algumas das quais conquistamos com sangue e dor, mas eles nem sabem disso, nem se importam: filhos não querem saber dos problemas dos pais, e há de ser natural assim.

A verdade é que nem tudo o que lhes entregamos era ouro, nem todos os caminhos levavam à alegria, nem tudo foi libertação.

Muitos moços ficam incertos quanto a seu lugar na sociedade e na família, atordoados pela competição de mercado, seduzidos pelas facilidades, nivelados por baixo pelo ensino ruim, desesperançados dos líderes cínicos, confundidos pela hipocrisia. Irritados com nossa incompetência em lhes dar um legado melhor, sofrem com a falta de uma cultura mais coerente, uma sociedade mais limpa, oportunidades mais justas, menos miséria, menos cinismo.

Mas a tendência mais frequente (e desde a antiguidade sempre foi) é nos queixarmos deles: os meninos não estudam, não querem nada com nada, não apreciam a família, não têm objetivos maiores, nunca amadurecem. Mas, e nós? O que fazemos para que se valorizem, amadureçam, adquiram mais autonomia?

Nos intervalos da corrida pelo sucesso ou pela preservação de um status atingido com sacrifício — que temos a lhes dizer, a esses nossos filhos, nós que temos a palavra difícil e a emoção encolhida?

Que limites lhes mostramos... ou nos julgávamos dispensados disso?

Que ética lhes incutimos... ou achávamos que isso era para os outros?

Que valores lhes preparamos... ou imaginávamos que a vida ia lhes ensinar?

Que força lhes demos para que pudessem lutar a sua luta, viver a sua vida, prosseguir nos caminhos que iniciamos com tanto ardor e tanta falta de jeito?

Pensávamos neles quando eram pequenos, ou queríamos seguir o lema destes nossos tempos, de aproveitar a vida? Estávamos com eles sempre que podíamos quando eram adolescentes, ou corremos atrás de mais dinheiro do que seria preciso para uma vida simplesmente digna?

Alguma vez nos aproximamos realmente deles, tentamos nos abrir um pouco, pedimos sua compreensão, sua paciência, sua humanidade... admitindo que também são pessoas, com capacidade e responsabilidade, ou sempre assumimos tudo sozinhos, sempre os quisemos poupar, assim nos isolando?

São legítimas essas perguntas, são permitidas, são duras demais?

•

Novos vínculos abrem novas possibilidades de conflito e de afeto. Diante de algumas perturbadoras transformações sociais, culturais e pessoais, muitos já dizem que "a família acabou, está acabando".

Está, como tudo mais, mudando, e velozmente. Porém essa mudança traz complicações bem maiores, e dores de adaptação bem mais pungentes do que as novidades tecnológicas. Por isso mesmo escrevi, falei e repito que família deveria ser o último reduto careta na nossa sociedade. Muitos aplaudiram, muitos deram risada. Acho, sim, que família deve ser careta, e que isso há de ser um bem. Não falo em rigidez, que os deuses nos livrem dela. Nem em pais sacrificiais, que nos encherão de culpa e vão impedir que a gente cresça, nem em filhos exemplares que seriam bichos de estimação bem adestrados.

Não penso em frieza e omissão, que nos farão órfãos desde sempre, nem em controle doentio — que o destino não nos reserve esse mal dos males.

Nem de longe quero moralismo e preconceito, mesmo (ou sobretudo) disfarçado de religião, qualquer que seja ela — pois isso seria a diversão maior do demônio.

Falo em interesse, não castração. Penso em cuidados, não suspeita. Vale como nos comportamos nessa mais íntima convivência, que inicia com o casal. Lembro quando, esperando alguém no aeroporto, vi a meu lado uma jovem mãe com sua filhinha de uns cinco anos, lindas e alegres. De repente, olhando através dos grandes vidros as pessoas que chegavam, a perfumada mãe disse à pequena: "Olha ali o boca-aberta do seu pai".

Nessa frase, que ela jamais imaginaria repetida num livro ou em palestras pelo país, a moça definia seu casamento, o ambiente em sua casa, e como estaria — ou não — ajudando a criança a enxergar os pais, a si mesma, e o grande mundo fora de sua casa.

Desde que separações tendem a não ser mais uma vergonha ou tragédia, mas se tornam até excessivamente comuns, as "desquitadas" não sendo mais apontadas com o dedo e isoladas pela hipocrisia alheia, multiplicam-se as relações em que pais separados voltam a se casar, e filhos assumem meios-irmãos, padrastos e madrastas (que hoje fogem do convencional "madrasta má").

Formam-se novos laços, e tanto pode haver drama e culpa quanto novas relações positivas, novas figuras na paisagem, e novas alegrias. Isso, desde que os pais consigam uma separação civilizada, não usando os filhos para controle e vingança em relação aos ex-parceiros. Desde que os novos parceiros tenham suficiente bondade e madureza para receber os filhos alheios; desde que haja uma harmonia básica nessa nova casa.

Mesmo assim, os sentimentos naturais são muito fortes: sempre haveremos de preferir ter nossos pais juntos, e junto de nós. Nem sempre o convívio com o marido da mãe ou a mulher do pai é fácil. Nem todos os envolvidos provavelmente queriam uma separação. Os filhos são apenas levados junto, geralmente com a mãe, e mesmo que informados com carinho, a decisão, que muda suas vidas, não foi deles. Ser "modernos" não nos exime de responsabilidades, não diminui sofrimento e aflição, sobretudo dos filhos, que não têm escolha.

Sei de crianças pequenas, filhas de pais separados há bastante tempo, que em seus desenhos sobre "família" desenham a si mesmas juntas ao casal original: seu pai e sua mãe. Isso exige dos novos parceiros paciência, respeito, discrição e carinho.

Requer tempo, e nem sempre somos alunos nota dez: chegamos enrolados em nossas manias, memórias, carências e costumes.

Mesmo assim, com boa vontade e sorte, essa "nova família" — ainda criticada pelos mais conservadores — pode ser, em lugar de fator de abandono e sofrimento, ocasião de multiplicar e aprofundar laços, de expandir e não de podar personalidades.

Não só os novos vínculos produzem perplexidade, mas também as novas maneiras de formar casais e famílias. Os casais homossexuais, que desejam estabelecer um grupo afetivo, ainda que diferente, ainda que novo, causam muita controvérsia, provocam o velho medo do diferente. Pais e mães solteiros causam menos alarde, mas também suscitam questões como: Por que solteiros adotariam crianças? Por que não casaram? Por que condenar uma criança a crescer sem pai, ou sem mãe?

Esse tipo de indagação leva em conta o racional, mas a vida é impulsionada muito mais pelo emocional e pelo vital.

Somos as nossas paixões, mais do que o nosso raciocínio frio.

A sociedade porém acaba assimilando esses novos modos de viver. O preço pode ser sofrimento, culpabilização, até agressões. Como sempre, os fatos sociais vão à frente da nossa aceitação deles, o coração mais lento em aceitar e aprovar.

Corremos atrás do já estabelecido, ajustando conceitos a fatos instaurados.

Há poucas décadas, namorados não iam ao cinema sozinhos, e beijar-se na boca em público era uma afronta. Hoje, quando a sexualização da pré-adolescência se tornou habitual, casais homossexuais passaram a ser a nova pedra de escândalo: a sociedade levará ainda algum tempo para absorver essa nova realidade, e lhes conceder a merecida paz.

Perguntas como "o que dizer na escola", seja com novos casamentos, adoções por parte de solteiros ou homossexuais, são encaradas com mais naturalidade pelas próprias crianças, que assimilam rapidamente o que preconceituosos e temerosos adultos resistem em aceitar. Além disso, nada garante que nos casais ditos "normais" o clima seja amoroso ou amistoso. Na família mais tradicional há situações de conflito, estranhamento e dor.

No jogo mutante da sociedade, alternam-se também as figuras e suas posições: mães provedoras se multiplicam, nem sempre o pai é a figura provedora, o mais forte, o respeitado — ou sequer o interessado. Cada vez mais homens e mulheres solteiros decidem adotar crianças sem a presença de um parceiro. E por que não? Vendo incontáveis casais comuns criando filhos num ambiente confuso e hostil, com grande sofrimento de todos, acho que a expectativa de que mais uma vez o ser humano resolva as novas situações pode ser respondida de maneira positiva — mas isso ainda requer tempo.

Importa que a casa, a família, nossa raiz emocional, promova o florescimento equilibrado e saudável da decência e do respeito — semente da ética — no primeiro convívio que temos nesta vida. E porque família e educação são meus temas recorrentes por fundamentais e difíceis, eu lhes dedico tanto espaço neste livro.

•

Conceitos e valores. Refletindo sobre os laços em que nos envolvemos, e sobre os legados que transmitimos, não posso esquecer os valores, de que tantas vezes nos vangloriamos. "Ah, eu passo valores aos meus filhos", gostamos de dizer. "E a meus funcionários, e aos colegas, a todos com quem convivo."

Pergunta: que valores?

Uma importante financeira me chamou para falar com alguns clientes num seminário. Não sobre finanças, pois eu os arruinaria, mas sobre algum tema "humano": no meio da crise que então preocupava a todos, queriam mudar de assunto. Uma sugestão que me deram foi "O que esperamos de nossos filhos no futuro". Como acredito que pensar seja transgredir, falei, ao contrário, sobre "o que estamos deixando para nossos filhos". Acabamos nos dando muito bem, a excelente plateia estava cheia de dúvidas, como a palestrante.

Falamos sobre valores humanos. Talvez um bom começo, direto e simples, seria dar uma de iconoclasta, e tentar faxinar alguns dos logros que nos incomodam ou nos tornam acomodados, e que aparecem seguidamente disfarçados de valores, a ser perseguidos e cultivados.

Um pai me dizia: "O principal valor que eu passo aos meus filhos é o da justiça social." Indaguei então: "Você paga à sua empregada doméstica o mínimo que a lei exige ou o máximo que você pode?"

Silêncio e susto. Todos, também eu, ficamos refletindo nisso mesmo depois de terminado o encontro. A sociedade avança em grandes saltos, e não é só nas finanças ou economia mundiais: transforma-se a todo momento em usos e costumes, na vida, no trabalho, nos governos, na família, nos modelos que nos são apresentados, na nossa capacidade de descobertas, progresso e decadência.

Mas como ensinar temperança neste século da supremacia do mais feroz consumismo? Quem não tem filho ou filha, neto ou neta, que não queira a todo momento trocar de celular ou iPod ou outro aparelho qualquer, porque agora é assim que se faz, eles se tornam obsoletos a cada tantas semanas, e quem quer ficar atrás, quem quer estar "de fora"?

Transmitir a ideia de que não se pode ter todas as coisas, que sempre haverá quem tenha mais posses do que nós, e que o importante não é ter fortuna mas ser uma pessoa decente, é um trabalho árduo, baseado muito mais nas posturas do que nos discursos.

Pensar no que estamos entregando a nossos filhos pode nos causar um belo susto. O que fiz, como os preparei, como me preparei, o que penso de tudo isso, como me porto, a começar pela minha própria vida, meus negócios, meu emprego, meus funcionários, meus amigos, minha mulher, e meus filhos? A mim me interessam outros bens além de prestígio e dinheiro, outros valores, os valores morais — esses que fazem levantar-se ironicamente muitas sobrancelhas, dos que pensam que moralidade é moralismo, e que meu lugar é entre os antiquados, os ultrapassados, os que já não servem mais?

"Uns com tanto, outros com tão pouco", brincava seguidamente um amigo meu, referindo-se ao fato de não ter ainda nenhum neto enquanto eu tinha sete.

Estendo essa brincadeira para o terreno da realidade social em que uns têm demais, e outros não têm nem para viver. As duas coisas são danosas. Pois o excesso de ofertas dificulta a tarefa de educar e de ensinar a optar, de ajudar a olhar e aprender a discernir.

Um pai de aluno, em uma escola onde dei uma palestra, estava preocupado com "os excessos de possibilidades que se oferecem à meninada" — e tinha razão. A superabundância que jorra dentro de nossas casas, e transborda nos shoppings, é tão preocupante quanto o abandono na vasta miséria.

Abrimos para nossos filhos — e seus filhos — chances de uma vida mais longa e melhor saúde; menos hipocrisia e naturalidade maior no sexo e no amor; descortinamos para eles progressos técnicos e científicos que nós nem sonhávamos.

Nossas filhas podem exercer as profissões que desejarem, controlar seu desejo e seu corpo; o mundo está ao alcance de todos na tela do computador. Mas junto com este pacote que traz nossas conquistas e muito mais promessas, diretamente embrulhado na palavra "liberdade" que nós tanto amávamos, oculta-se o veneno que corrói a raiz do prazer e do amor: a incerteza e o despreparo diante das novidades, a desinformação mesmo entre os que têm certa cultura, a intranquilidade gerada pela timidez dos adultos em exercer sua autoridade — isto é, responsabilidade. Atenção, vigilância sem excessiva interferência: difícil.

E necessária, porque pedófilos espreitam na internet, drogas são vendidas nas esquinas, às vezes nas escolas. Qualquer um de nós ou das pessoas que amamos pode ser vítima, neste mesmo instante, de um assalto nas ruas, em casa, em qualquer parte. Uma bala perdida, um drogado enlouquecido podem acabar com tudo. E nós nunca estaremos preparados. Por isso a palavra, o abraço, o olhar, o momento de atenção, são infinitamente mais importantes do que o cartão de crédito, o compromisso, a viagem, o novo cargo.

Mas teríamos de pedir licença à nossa cultura da pressa e da posse para nos permitirmos ser mais atentos, numa participação consciente em tudo que move e pode mudar esse mundo, passando da política, mesmo que sem desfraldar bandeiras, à vida pessoal e finalmente aos conceitos que abrigamos dentro de nós.

•

"Pai, me ajuda a olhar!", pediu um menino de quatro anos ao pai, quando este pela primeira vez o levou para ver o mar.

Esse episódio, quase uma cena de filme, é um dos mais emblemáticos que conheço para nos referirmos à autoridade necessária para cuidar e orientar, também ensinar.

Escrevi acima que, para "ajudar a olhar", esse que ajuda precisa ter alguma autoridade, pelo menos moral. Mas "autoridade" não é vista hoje como uma boa palavra: confunde-se com autoritarismo, num tempo de muita permissividade. Aqui reitero sua importância, e reconheço a dificuldade em lidar com ela.

Antes de uma palestra para algumas centenas de professores num seminário de Educação, um jornalista indagou qual o tema que eu trazia. Quando eu disse que era educação e autoridade, ele piscou, parecendo curioso: "Autoridade mesmo, tipo isso aqui pode, aquilo não pode?"

Eu sabia que estava entrando em território estrangeiro. Pois o tema tem sido uma espécie de tabu entre nós, fruto menos brilhante do período do "É proibido proibir", que resultou em algumas coisas positivas e em alguns desastres — como a atual crise de autoridade na família e na escola. Coloco nessa ordem, pois — clichê simplório porém realista — tudo começa em casa. Lá onde, obedecendo a conceitos confusos ou inadequados, começa o receio de exercer autoridade — que nada é senão arte da responsabilidade.

Meus anos de vida e vivência mostraram que o comportamento agressivo e autodestrutivo de parte da meninada revela o ambiente de casa. Filhos mandam e os pais se encolhem, indecisos, quando não acovardados; outros, mais preocupados em curtir a vida, nem sabem o que dizer ou como se portar, ignorando que são, ainda que não queiram, um primeiro exemplo.

Para filhos de qualquer idade, muito mais do que ser "caras legais", importa que os adultos sejam aquela figura à qual, na hora do problema mais sério, eles podem recorrer para terem segurança, uma boa escuta e uma boa palavra. Isso ajudará a "olhar" o grande oceano do mundo e avaliar perigos ou ondas favoráveis, isto é, vai preparar adultos razoavelmente bem inseridos em seu meio, e com uma visão esperançosa das coisas.

Porém ainda nos ressentimos de teorias nem sempre bem entendidas e bem aplicadas, sobre pedagogia e psicologia, que chegaram ao Brasil na década de 60. Tanto tempo, sim, mas ainda têm efeito, reforçado pelos novos costumes e posturas, ecoando o "é proibido proibir" também daquela época.

Para muitos, ele foi a ordem para desencadear uma espécie de vale-tudo. Alguns psicólogos e educadores afirmaram que censurar, limitar e punir seria traumatizar e inibir filhos e alunos. Tudo passava a ser permitido: achamos graça nas piores malcriações como se fossem sinal de inteligência ou personalidade.

"Meu filho tem uma personalidade forte" queria dizer "É mal-educado, grosseiro, não consigo lidar com ele." Resultado: crianças insuportáveis, pais confusos, professores atônitos.

Gente de bom-senso advertiu contra algumas dessas novas teorias; os pais que não as adotaram sabiam que é possível impor regras, é necessário dar limites, é para o bem dos filhos que se levanta o dedo ou a voz, e que eventualmente negar salva uma vida ou promove segurança e roteiro.

Atualmente, uma censura séria de parte da escola, por uma falta grave, que pode ser insultar o professor, cuspir na professora, pichar paredes da sala de aula, quebrar vidros e portar armas, provoca indignação e até processo dos pais contra a escola. Multiplica-se o número de casos como esses, que poucos anos atrás pareceriam ficção. Alunos e mestres têm aparecido nas páginas policiais dos noticiosos e dos jornais.

Sem limites em casa e na escola, num Estado que perde o controle em relação à criminalidade e numa justiça que raramente pune culpados, com criminosos entrando na prisão e saindo em poucas semanas ou meses para reincidir, a ideia de autoridade passou a ser negativa — assim caminhamos para a selvageria instaurada.

Não vejo por enquanto uma mudança positiva nessa situação que se alastra. Ao contrário: educadores com grande boa vontade, mas cabeças confusas (mais uma vez: nem todos, nem a maioria), pregam que não se pode mais "reprovar" um aluno por pior que seja seu desempenho. Ele apenas fica "retido" na mesma série. Esse é apenas um diminuto exemplo do que reina em muitas escolas e cabeças.

Inseguros e desorientados, temos medo de agir, esquecemos o bom-senso, temos na verdade medo do aluno e de seus pais.

Porém, esperar que o aluno se esforce, se dedique, estude e passe de ano, e se comporte como um ser civilizado, não é exigir absurdos, não vai prejudicar sua psique. Ao contrário: nós o estaremos tratando como um ser capaz, pensante, racional, ainda que seja criança ou adolescente.

Fui uma criança rebelde, na inocente rebeldia de crianças de décadas atrás, numa cidade do interior: hora certa para dormir, acordar cedo, arrumar o quarto, guardar os livros que espalhava pela casa, ficar quieta na sala de aula, não rir na hora de prestar atenção, caprichar na letra, cuidar bem dos cadernos. Esses eram meus primeiros parâmetros de autoridade. Ela organizava espaços e ordenava caminhos, cortava a grama, tirava as ervas daninhas e ajudava a abrir algumas portas — e, sem ela, nada faria muito sentido para uma criança cujo universo ainda não tinha formas definidas: não tem para nenhuma criança, e na adolescência mal começam a se delinear.

Porém, pela imposição das novas regras, ou da supressão delas, pais já não conseguem resolver a malcriação dos pequenos e a insolência dos maiores. Crianças xingam os adultos, chutam a babá, a psicóloga, o pediatra. Adolescentes chegam de tromba junto do carro em que os aguardam pai ou mãe: entram sem olhar aquele que por sua vez nem vira o rosto para eles. Cumprimento, sorriso, beijo? Nem pensar.

Como será esse convívio na intimidade? Como funciona a comunicação entre pais e filhos, sobre a qual escrevo no capítulo anterior, dizendo ao mesmo tempo que crescer é também contestar?

Mas se não temos limites, até contestar perde o sentido, e deixa de ser estimulante qualquer argumentação. Instaura-se o desinteresse e o tédio, irmão da melancolia e da angústia. Cedo precisamos recorrer às drogas para ver se tudo adquire uma nova luz, uma cor mais intensa, se afinal alguma coisa ainda tem graça neste mundo em que parece que tudo podemos e em tudo mandamos, e basta pedir para ganhar: o novo celular, a roupa mais cara, o notebook mais veloz, a festa mais animada.

Pais exaustos desistiram de enfrentar os novos modelos, e para ter sossego, ou por não saberem como agir, concordam com tudo: é a sensação de um mundo amorfo, indefinido, gerador de insegurança, prolongando-se juventude afora.

•

Deslimite e desinteresse são irmãos gêmeos: geram agressividade como reação ao desamparo. Ao contrário do que pensamos, a falta de uma ordem amorosa ergue barreiras e produz isolamento. Permitindo tudo, dando tudo, não se cultivam afetos: estimulam-se a inquietação e o abandono.

Mas podemos fazer novas escolhas: dentro das possíveis transformações da cultura não cristalizada — pois é dinâmica — é possível mudar as regras desse jogo do convívio, da educação, da vida escolar e familiar, com regras, punições e recompensas. Carinho e respeito, de parte a parte pais e professores sem medo de exercer sua necessária autoridade dão segurança para construir alguma trajetória numa sociedade cada vez mais complexa.

Ao contrário, malcuidados e mal ensinados, os jovens vão abrir caminho a cotoveladas e pontapés.

Porém, como nada é simples, também esse contraste entre limite e deslimite não é uma linha fácil de determinar. Excesso de rigidez, como de moralismo, inibe um questionamento saudável e o exercício da responsabilidade.

Pais precisariam ver os filhos como indivíduos, não como seus apêndices, e professores precisariam ser otimamente treinados, e recompensados para poderem atender quem não é do seu sangue. No entanto, o ensino merece desinteresse dos governos, os incentivos em forma de salário são péssimos, e parte do magistério está mais interessada em ideologia do que no desempenho da escola, e no bem dos alunos.

Isso, somado ao quadro geral de corrupção e impunidade, a política tantas vezes substituída por marketing, negócios movidos a propina e todo o quadro doloroso que conhecemos, reforça que alunos encarem com hostilidade ou desdém a figura dos mestres, e em casa não deem valor aos pais.

Nem todos os pais são bons pais, ou nasceram para serem pais de verdade. Nem todos os amigos, vizinhos, parentes, professores ou autoridades nos amam e nos protegem. Nem todos os líderes são honrados. Nem todos os patrões são justos.

Nem todos os que convivem conosco são boas pessoas, nem todos são preparados para sua função, nem todos são saudáveis. A cautela, irmã do discernimento, reforça aquele chão mais seguro sobre o qual andamos. Quem nos poderia incutir esses conceitos e treinar nossas emoções seriam os pais. Mas, em lugar deles, como disse um jovem psicólogo, os meninos vão encontrar em casa um gatão e uma gatinha, sem capacidade de lhes dar a segurança do afeto e da autoridade, que preparariam para a realidade nem sempre gentil.

E a realidade entra em casa num jorro contínuo, pelos meios de comunicação e as facilidades eletrônicas. Junto com jogos e divertimento, recebemos a saraivada de notícias sobre miséria, cinismo, falta de ética, brutalidade, perversão — e, como cenas de filmes porém reais, as guerras e crueldades até em países remotos.

O remoto já não existe: tudo entra em nossa sala pela televisão e pelo computador. Tudo é aqui e agora, também a fraqueza dos que deviam ser líderes, a dor dos menos privilegiados, os jogos políticos desleais, os desvios de recursos que salvariam milhares de vidas e dariam a outros milhares uma existência digna, e o desespero de quem não tem vez nem voz.

Nem muito rigor, nem negligência mortal: sempre que devo falar em educação procuro fugir ao ceticismo, e lembro o que dizia um velho e experiente professor: “Se numa turma de quarenta alunos faço um aprender a pensar, me dou por satisfeito”. Era um mestre da antiga cepa, que amava sua profissão e seus alunos. Pessoalmente, recordo dos meus tempos de escola ou universidade aqueles professores que me estimulavam a pensar, questionar, indagar — e de outro lado exigiam cumprimento de tarefas, a mínima sendo estudar, pois esse era o meu trabalho.

Não me tornei uma aluna modelar, minha vida escolar e mais tarde a profissional tiveram percalços, houve muitos momentos de dúvida e insegurança, mas bem ou mal, como tantos, por vários desvios, abri meu caminho.

•

O primeiro desenho do mundo tem de ser esboçado por alguém mais maduro, para quem ainda é inexperiente: esse lugar nem sempre confortável é dos adultos. Eu até hoje agradeço aos que algumas vezes seguraram mais firme as rédeas de meu desejo de autonomia, meu enjoado espírito questionador e minha infantil rebeldia.

Embora tenha se criado a meu respeito a fantasia de que fui uma aluna brilhante, a verdade é que em geral fui medíocre, segundo critérios convencionais. Minha paixão era ler, e só comecei a gostar de estudar já no segundo grau.

Das coisas boas que me marcaram na vida escolar, uma foram limites sensatos e autoridade justa, embora eu me rebelasse ("ninguém manda em mim"), e a abertura de horizontes intelectuais: essa nem sempre aproveitei, nos anos de adolescência. Era uma época em que criança dormia cedo, não questionava os adultos, menina deixava seu quarto impecável, bordava com mãos de fada, e aprendia a obedecer a um futuro marido com a mesma graça com que obedecia a pais e avós, e professores.

E apesar de meus protestos, sem muito efeito, havia algo de reconfortante em existir ordem e me fazerem exigências, evitando que, montada na vassoura da fantasia e do precoce desejo de independência, eu sumisse no ar ou nas páginas de algum livro.

O colégio era severo: minha inquietação e tendência para rir de qualquer bobagem era um drama. Estudava-se muito, nisso eu também escorregava: só aprendia bem matérias que me interessavam, nas outras me aborrecia. Meu bom professor de matemática, que com infinita paciência me deu intermináveis séries de aulas particulares, lamentou-se com meu pai: "Essa menina não é boba, mas não aprende nada, eu falo, falo, e ela me olhando com esse ar desamparado. Só posso imaginar que não simpatiza comigo".

Repetir o ano era dramático, e disso sempre escapei. Para a meninada de hoje deve parecer suma tolice: é preciso algum esforço para ser reprovado, com nosso ensino leniente mesmo no terceiro grau. A ideia de que crianças só devem aprender brincando prolonga-se pela adolescência, com reflexos melancólicos em alguns bancos universitários.

Esquecemos de avisar que a vida não é brincadeira, e o colégio — como a família — deveria preparar para ela. Aliás em casa começaria o melhor currículo, a melhor ferramenta: olhar, argumentar, questionar. Não serão os filhos e alunos mais fáceis, mas não por agressivos, e sim porque serão interessados e ativos, exigindo professores atuantes e atualizados e pais atentos.

•

Educar sem estorvar cria um paradoxo em relação ao que escrevi acima, mas é o contraponto importante à necessidade de firmeza. Embora pareça uma contradição, pode e deve andar junto com uma autoridade sensata. Mais um problema nestes nossos dias de tantos dilemas, na busca de um convívio positivo em casa, e uma igual educação na escola — para que todos continuem crescendo.

"Família e escola fazem muito se não estorvam. Deixem as crianças e os jovens desabrochar." Essa afirmação de um velho mestre de enorme experiência e amante de sua profissão me fez pensar.

Se já naquele tempo, eu ainda universitária, questionávamos a frouxa autoridade em casa e na escola, que deixava a meninada perdida e sem limites, como entender aquela afirmação de quem sabia mais do que a maioria de nós sobre ensino, educação e o resto?

Reflexão e observação acabaram clareando um pouco esse enigma: é preciso juntar as contradições todas, bater no liquidificador da experiência, tentativa e erro, alegria e desespero de quem lida com esses assuntos, e ver no que dá. A margem de risco tem de existir, ou estaremos em todas as coisas estagnados. É positivo estimular os mais novos a fazerem suas primeiras escolhas, aplicando o ouvido de sua curiosidade em algumas portas, e pensando em começar a construir a casa de sua existência.

Não há garantia nem receitas, por mais que sejam vendidas ou espalhadas gratuitamente por aí em tal abundância: como ficar rico sem esforço, como ter sucesso, como ser feliz em dez lições a preços módicos.

A questão é como dosar autoridade e liberdade, para que nossos meninos cresçam. Para que a gente também continue crescendo, pois sou dos que acreditam que viver não é deteriorar-se, mas se expandir. E quando o corpo parece encolher, murchar, envelhecer — bom usar as palavras certas pois às vezes os eufemismos soam ofensivos... —, a alma (psique, mente, não importa o conceito científico, moral, espiritual que lhe queiram dar) tem de continuar crescendo.

É pura adrenalina, e emoção, embora em certas horas tão irritante e cansativo, observar o desabrochar de crianças e adolescentes. Se alguém tem perto de si um desses belos, estimulantes, atordoantes exemplares humanos, comece a olhar: encante-se, assuste-se, trate de se descabelar e maravilhar.

E vai entender a frase do velho mestre, quando dizia que família e escola não devem estorvar. É preciso tentar entender um pouco, "ajudar a olhar", não olhar por eles, muito menos podar. O susto de quem tem a responsabilidade de cuidar (porque, repito interminavelmente, quem ama cuida) não é pequeno.

Tive um filho, tenho um aluno, e agora? Agora é plantar os pés no chão, deixar a alma um pouco solta. Mais que isso, pensar.

Falar assim é fácil, escrever mais ainda, dirão. É verdade. Mas se formos menos desligados e mais atentos, mais firmes mas menos rígidos, mais amorosos e mais exigentes neste universo contraditório que todos somos, e mais respeitosos, veremos milagres. E atenção: dizendo "respeitosos" não digo "encolhidos, humildes, suportando todas as malcriações e maluquices", mas sendo ativamente tranquilos.

Claro que para isso precisamos ser, se pais, razoavelmente estruturados emocionalmente — pois se formos destrambelhados demais podemos perturbar as crianças. Se professores, temos de ser bem pagos, com excelentes escolas — ou vamos mendigar a esmola de condições mínimas para trabalhar.

Embora os personagens de minhas ficções sejam neuróticos e sofridos, e minhas crônicas nem sempre sejam otimistas, acredito que a gente pode repensar a vida, e todas as coisas que, nela, causam tamanho susto e tanto prazer, para sentir que afinal vale a pena.

•

Uma educação realista há de harmonizar autoridade e liberdade: difícil tarefa. Tem como matéria de seu trabalho filhos e alunos questionadores (não malcriados, não grosseiros), que certamente dão mais trabalho, mas transformam esse convívio em motivo de interesse, adrenalina boa, entusiasmo. Apesar dos fracassos e frustrações — porque, afinal, somos todos apenas humanos tentando viver no mundo de Deus com todas as humanas trapalhadas.

"Pensar é transgredir" é o título de um artigo que mais tarde deu nome a um de meus livros.[3] Até hoje me perguntam o que significa. Eu recomendo infrações, ou transgredir pode ter algum sentido positivo?

A semântica do termo é mais ampla do que pensamos, e no caso queria dizer que pensar é transgredir a ordem do comodismo e da mediocridade. Ninguém de verdade educa, em casa ou na escola, sem ensinar algumas boas transgressões, nessa linha de escapar da manada e indagar, duvidar, questionar, não com rebeldia sem sentido, mas para abrir horizontes e mentes.

---

[3] *Crônicas, Record, 2004.*

Um dos elementos mais importantes de uma educação realista é preparar para futuras escolhas vitais, seja de ordem pessoal, seja profissional, seja de postura política ou filosófica na vida. É tentar fazer do aluno um elemento menos amorfo — o que exige professores mais abertos, mais seguros, também eles questionadores. É ajudar o aluno a criar uma individualidade num universo de amálgamas, grupos, tribos, elementos protetores em que gostamos de nos aninhar, mas que tendem, se excessivos, a nos anular: os outros pensam e até agem por nós.

Nós, manada, nos acomodamos.

Porque não quero ser diferente, nem me sentir isolado, procuro me fundir com minha tribo, que me acolhe e promete me proteger. O pensamento individual e a atitude mais pessoal exigem informação, coragem e motivação.

Pensamos ser informados através da mídia que nos invade e pressiona, mas com essas informações precisamos elaborar valores individuais e aprender os mais gerais, ou continuaremos incertos e confusos. Mesmo quando ainda inexperientes, se formos observadores interessados, podemos mover algumas peças desse xadrez, como pessoas ou como cidadãos.

Mas quem quer essa trabalheira toda? É mais fácil acusar a vida, os pais, os governos, o patrão, os outros, pelos males do mundo. Dirigindo um caminhão, cobrando passagens num trem, manejando um trator, fazendo uma delicadíssima cirurgia, produzindo arte, comprando roupas, contemplando o céu que amanhece, criando, punindo, lendo, administrando, fracassando, chorando e encarando doença e morte — amando nossas frívolas preocupações e labutando em nossos pífios desempenhos, no fundo queremos mais.

Queremos questionar tudo isso, queremos avançar.

Poderíamos usar a vida mais banal como trampolim para uma renovação de ideias e atitude. Estamos acorrentados a muitos problemas: são todos necessários, inevitáveis, ou acumulamos dificuldades por preguiça, por incapacidade, por falta de alguma mínima coragem?

Ao contrário do que se pensa, do questionamento pode resultar, em vez de mais confusão, simplicidade. Sossego e recolhimento para lamber as feridas, alisar os entusiasmos, pentear as emoções, voltar para a vida fazendo bonito.

Pois a gente merece. Num instante de felicidade, talvez se consiga voltar ao colo dos afetos, ou procurar novos se os velhos não nos fazem bem. Caminhamos com incertezas soprando seu bafo em nosso calcanhar — por isso, mesmo trôpegos e tímidos, somos uns heróis no cotidiano e no transcendental.

A gente só teria de ser um pouco mais despojado, menos desconfiado, mais aberto — atento para não se enredar em princípios mofados ou modernosos demais, que para ouvidos mais despreparados parecem os mais interessantes.

Sempre foi duro vencer o espírito de rebanho, mas esse conflito se tornou quase esquizofrênico: por um lado, precisamos ser como todo mundo, é importante adequar-se, pertencer; por outro lado, é necessário criar e preservar uma identidade e até impor-se, às vezes transgredir para sobreviver. Em geral acabamos descobrindo ou inventando nosso papel, nosso roteiro, nosso caminho.

Porém, no fundo de cada um aquele olho da dúvida entreabre sua pesada pálpebra e nos encara, compadecido ou provocador: como estamos vivendo a nossa vida, quanto valemos, quanto decidimos ou somos tangidos, quanto estamos conscientes do nosso próprio drama e fraqueza, mas também da nossa força?

Em que medida prevalece em nós a vontade ainda infantil de que outros resolvam os problemas, ou quanto curtimos, dentro de nossas possibilidades, a aventura cotidiana de cada banal, ou extravagante, ou apenas indispensável opção?

4 | *Múltipla escolha*

Viver é todos os dias partejar
a vida.
(Ela nasce com cabeça grande demais,
muitos braços
— às vezes sem pernas.)
Abro meu ventre,
minha alma se arreganha
como uma parturiente
em sofrimento.
Dar à luz dói.
Faço isso todos os dias,
exposto como num palco:
aquele bonequinho
sou eu
num mundo que vou montando.

Mas nem tudo me assusta,
nem tudo me prende:
posso abrir algumas portas,
posso fechar outras, posso
escolher o sexo
e a cor dos olhos de cada momento.

N*ão recebemos um mundo intocável* fora das paredes acolhedoras ou frias da nossa casa e da nossa alma: se não o podemos deletar e criar outro, podemos dar-lhe retoques. Podemos esboçar os contornos do mundo como o sonhamos, conscientes de que há limites que não vamos ultrapassar nem no auge da maturidade e força, nem mesmo tendo riqueza e poder.

Todos, qualquer que seja a condição social e o preparo intelectual, somos mais capazes de ações importantes do que nos fazem acreditar que somos. Nosso pensamento, posto em ação, tem um poder transformador em que geralmente não acreditamos. Não necessariamente atos públicos que mereçam manchetes ou entrevistas, mas essas miúdas coisas que de verdade movem as engrenagens todas, todos os momentos de todos os dias.

Por isso mesmo, tudo em mim — o modo como trabalho, minhas opções de vida, parcerias pessoais, ações individuais ou sociais, minha postura política, meus sonhos e desenganos, minha vida e minha morte — faz diferença. Quando professora universitária, seguidamente eu dizia a meus alunos: "Vocês são melhores do que a família, a universidade, a sociedade fazem vocês acreditar que são. Podem render mais, trabalhar melhor, e com muito mais prazer".

Se não somos meros figurantes num contexto abstrato que nos faz alegres ou amargos, o que seria bem mais confortável, se não estamos condenados a aceitar o mundo tal como o recebemos ao nascer ou ele nos recebe, se ele pode ser retocado, se conseguimos pensar e avaliar, podemos fazer rearranjos no texto da nossa vida, da nossa sociedade, do nosso mundo.

Tudo isso implica reflexão, atitude: falta-nos, por uma educação débil ou por desinteresse nosso — porque desde bem mocinhos também podemos falar e exigir —, raiz e força, e o estímulo para mudanças positivas. Olhamos para os lados: a maioria parece estar na mesma situação, então o jeito é nos acomodarmos e tocar a vida.

Porém não agir nos dá culpa; viver mal nos enche de frustração; temos recursos para nos tranquilizar: a droga, o sexo sem afeto, o trabalho excessivo, a agitação constante, a pílula para dormir.

Há quem em certos momentos observe, analise, decida o que vai ser e fazer, e —enfrentando obstáculos — vai construindo personalidade, profissão, amizades, família, lugar na comunidade imediata ou nas maiores, que se encaixam como círculos concêntricos. Pois através dessas ferramentas cibernéticas, agora todos podemos nos tornar cidadãos do mundo.

Mas corremos o perigo de acreditar nesse mito de que o importante é estar por dentro, estar na crista da onda, estar entre os melhores, os invejados e aplaudidos, e sobretudo, estar se divertindo. (Esse parece ser um primeiro mandamento.)

Os menos privilegiados, que trabalham, dão duro, pagam impostos, vivem no limite da pobreza ou da miséria, batalham pela vida diária, lutam para não afundar ou para ter um pouco mais de dignidade, mal têm tempo e condições para olhar, de longe, a correria dos que, aparentemente, se divertem.

E quase sempre acham que não têm escolha.

Além do mais, todos, os mais estimulados e os mais esquecidos, sentem medo. Um temor abrangente, de tudo e qualquer coisa, de viver, de morrer, da violência, do outro, de falar e de calar, de amar e de ficar sozinho, de conseguir trabalho e de perder o emprego, de subir no cargo e de ser demitido, enfim, o medo, como a dor, faz parte.

Marcados no flanco e confundidos por tantos chamados, instigados pelo desejo do que vem à frente e atrasados pela acomodação que nos puxa para trás — como vemos o mundo que entra pelo nosso computador, pela televisão, pelas janelas do ônibus, pela parede do apartamento vizinho, pelos poros de nossa pele?

Cada indivíduo, ainda que não queira nem saiba, participa do processo dinâmico que é a vida: não somos inteiramente fruto da genética física e psíquica, na qual acredito, nem do meio onde nascemos e crescemos. Somos também resultado de nossos trabalhos e frustrações, e também das alegrias. Portanto, por algumas coisas somos responsáveis.

Seria mais cômodo se não fosse assim: estaríamos desculpados. Ser vítima é tão mais fácil. O culpado é o governo, a família, a escola, o empregador, o parceiro ou parceira de vida, o filho difícil e o pouco dinheiro.

•

Como influenciamos isso que nos cerca — que na verdade só começa a existir como realidade depois que assumiu alguma configuração dentro de nós? O que pensamos de tudo, incluindo economia e política, dramas sociais e crimes ambientais (pois tudo refletido em nosso cotidiano), e daquilo que dorme ou se agita em nosso interior? Preferimos nos fechar, desviar os olhos, com receio de, procurando demais, encontrar mais do que talvez a gente suporte — e qual o limite para esse "mais"?

Quanto estamos adaptados ao nosso meio e ao nosso tempo, sentindo-nos bem — ou quanto estamos deslocados, aflitos, "de fora", até no pequeno grupo familiar?

Debaixo da avalanche de pressões, atrações e informações, no meio a que julgamos pertencer ou ao qual estamos presos (ou onde desesperadamente desejamos ser aceitos), procuramos viver como se espera de nós. Assim nos sentimos melhor. Fundidos com o grupo, qualquer que ele seja (pode ser uma gangue), anulados, desapercebidos, sofremos menos.

Embora nos deixe inseguros, porém, estar de fora pode ser positivo. Pode significar superação do espírito de manada e descoberta de uma individualidade, busca de alguma forma de real liberdade. Ter ideias originais nem sempre é isolamento, dar um passo fora do ritmo da tropa nem sempre é negativo, nem sempre será punido com rejeição geral.

Assumir um tom diferente ou mudar qualquer situação, ser o soldado com passo diferente, pode ser muito penoso: exige determinação, informação, ação fora da nossa geral ambiguidade. Mesmo em situações difíceis, mesmo sofrendo, queremos e não queremos mudar. Queremos e não queremos repensar a vida. Falsamente livres nesta que se diz uma sociedade liberada, tangidos por desejos e chamados de toda sorte, nosso território é a contradição: comodismo ou heroísmo, o que escolher?

E se houvesse um meio-termo, nem heroicos nem covardes, mas humanos e conscientes de que somos apenas isso, um misto de limites, medos e coragem?

Seria preciso antes de mais nada romper com a tentação da inércia que pretende deixar tudo como está, amanhã a gente pensa, amanhã a gente faz, amanhã a gente até vai ser mais feliz. No tempo da música ao vivo, do barulho e da correria, a ideia de interromper as mil atividades, quem sabe faltar a um compromisso para olhar em torno e mudar alguma coisa, nos causa um grande desconforto.

Correndo para atender ao lema "animados e positivos", temos muita agitação e pouca alegria. É possível até que nos momentos realmente alegres a gente se interrogue: o que está havendo comigo? Estou gostando de viver. Parece que estou mudando: resultado de algum remédio, ou euforia de bipolar?

Como todos os medos, esse das transformações pode ser útil. É parte do instinto de preservação, e nos impede de mudar como camaleões a todo momento e sem razão para tal. Mas também pode nos paralisar na areia movediça da mesmice: quanto mais ficamos, mais afundamos.

Nestes tempos em que tudo pode ser questionado, vivemos novos tipos de relacionamento, criamos novas convenções, rasgamos novos horizontes, corremos novos riscos. A tentação de experimentar pode se tornar uma obsessão. O apego aos velhos esquemas paralisa tanto quanto o susto da novidade.

Na correria, é cada vez mais difícil harmonizar o dentro e o fora da rotina: mexer com coisas demasiadas pode promover uma explosão, desarrumando tudo. Ainda que seja possível reconstruir melhor, de maneira mais saudável, preferimos olhar para o outro lado, para quem vem na esquina, quem acena das janelas no alto dos edifícios.

Entre ficar como está ou tentar nadar contra a correnteza, em geral preferimos deixar tudo como está. Quem se importa? "Você pode escrever o que quiser em seus livros ou artigos, que ninguém dá mais bola para nada nem no melhor dos livros ou no mais interessante dos jornais", me disse outro dia uma jovem. O pior é que, embora eu tenha dado uma risada, aquilo mexeu comigo. Ela não deixava de ter razão. Pra que remexer na confusão das coisas? Bom mesmo é tentar esquecer o que não tem jeito nem cura, nem parece melhorar.

O problema é que a gente não esquece. Isso que foi empurrado debaixo do tapete e atrás da cortina continua lá, olhos abertos, e nos vigia e nos puxa pela barra da saia ou a bainha da calça. E nos atormenta quando não conseguimos dormir e engolimos uma pílula de esquecimento, ou vamos para o computador e escrevemos um livro. Não para ensinar, mas para dividir questionamentos, buscar alguns significados, e menos solidão.

•

Ídolos e heróis sumiram ou se transformaram, ou pior: perderam seu carisma. Não os admiramos mais, ou naufragaram nas drogas, ou simplesmente ficaram antiquados. Quem vamos seguir, quem nos inspira?

Interrogados sobre com quem gostariam de conversar descontraidamente por uma ou duas horas, moças e rapazes de vários meios sociais escolheram jovens atores e atrizes de televisão, modelos, algum atleta. Nem um só político, um cientista, um grande jornalista, ou mesmo um ator experimentado.

Singularmente, mas de maneira muito significativa, enquanto estamos velozes e espertos no computador, criando mundos virtuais e jogando jogos cada vez mais complexos, também curtimos voar com bruxos em suas vassouras, e namorar vampiros.

Nem creio que isso seja ruim: a criatividade existe para ser empregada, o mundo virtual para ampliar nossos espaços interiores, e não precisamos necessariamente nos perder dentro deles, mas, quem sabe, firmar ainda mais a nossa realidade do lado de cá do computador, aquela em que não brincamos mas queremos viver.

E por que não?

Tudo é melhor do que nosso desejo e sonho terem como objeto apenas o par de nádegas mais firmes, e o gatão com peito depilado mais impressionante. Resta saber se tudo isso é um recuo para a infância, ou audácia de quem, mesmo moderno, não quer se privar do sonho e da fantasia.

Apelamos para o virtual e o cinematográfico a fim de erguer nosso universo acima do reles que enxergamos, e expandir nossa mente por um universo fantasmal ou fantástico. Ainda não estamos desinteressados nem totalmente céticos.

Mudar pode parecer uma prova na qual sabemos de antemão que vamos falhar. Mas vale a pena a tentativa, até mesmo o possível erro. Porque nos debatemos tantas vezes numa floresta de dúvidas, buscando material para a construção do nosso personagem — e todos somos isso no teatro do tempo —, teremos sempre a surpresa do próximo ato. Não há roteiros fixos que nos tranquilizem, o diretor que podia nos dar instruções se esconde atrás da cortina, nem o final é previsível.

Às vezes é preciso saltar de olhos fechados, e ver o que acontece. O palco é nosso país, a cidade, a casa e o mundo, variado como a própria vida, que pouco se domina, mas na qual podemos inventar novos heróis.

Os acontecimentos entram em nossa casa pela mídia, tomam café em nossa mesa e nem sempre nos divertem, raramente nos tranquilizam. A gente faz carnaval, a gente vai na balada, a gente surfa, a gente briga com os pais, passa boa parte do dia no mundo virtual da internet; a gente esquece os filhos que estão insuportáveis, a gente faz tudo para não escutar a voz que chama: vem, faz alguma coisa, começa mudando um pouco sua própria vida.

A gente compra loucamente, bota dinheiro fora, maltrata a família, sai de carro feito doido e na próxima esquina mata duas crianças. Porque de tanto não reagir, de tanto engolir, de tanto querer não pensar, a gente vira assassino, e atira na cara do casal de velhinhos que assistia à televisão em casa.

Nossa necessidade de tomar decisões e abrir, se não portas, ao menos portinholas do nosso tamanho, começa na infância, quando nos apresentam duas possibilidades, e temos de escolher: você quer bolo ou sorvete? Quer brincar dentro de casa ou no parque? Gosta mais do papai ou da mamãe? (E outras idiotices que os pais nos propõem.)

Quando adultos, a coisa se complica, e a dúvida cresce conosco: somos quem gostaríamos de ser? Temos opção? Paramos para pensar sobre tudo isso? Aceitamos as regras e comandos da nossa cultura sem hesitar, ou refletimos e às vezes votamos diferente, nos informamos melhor, trocamos de emprego, não nos deixamos explorar, tentamos melhorar nossas capacidades, cuidamos mais de nós mesmos, de nossas amizades e amores?

Quem quer parar para pensar, se há o perigo de desmontar? A reflexão e a quietude têm seu lado bom: é possível fazer algumas análises, mesmo na mais estreita das condições de vida; pode-se questionar, negar ou aceitar, desviar os olhos ou abrir a porta, os braços, a alma. Não somos inteiramente vítimas da família, do governo, do patrão, da mulher ou do marido, da amiga chata ou do falso amigo, nem mesmo disso que chamamos sociedade.

Mas ser vítima tem suas vantagens, sorri o advogado do diabo. O conforto da futilidade, o útero do esquecimento fazem parte das forças que nos atraem para o fundo dessa escada rolante da vida, que subimos às avessas. Para escapar disso, sabemos bem, "Hay que tener cojones", como disse, sobre bem diverso assunto, uma diplomata americana.

Primeiro deveríamos descobrir o que está errado em nós, em nossa vida, o que desejamos ou podemos transformar. Ou gostamos de tudo como está, e então já descansamos no vestíbulo do paraíso do contentamento. O que é bem difícil, pois estamos sob o bombardeio de mil questionamentos, mesmo dentro de casa atrás das nossas pálpebras bem fechadas.

•

Cibernéticos e virtuais, nadamos num rio de novidades. Um turbilhão de recursos trazidos pela ciência, pela tecnologia, pode nos deixar desconfortáveis se já não formos muito moços, e fingimos desinteresse — cavando uma distância ainda maior com as novas gerações. É normal, mas não é necessário nem positivo.

Desistir é perder o bonde, perder o contato com aqueles que ainda podemos apoiar. Aprender novidades é um bom desafio: com alguma boa vontade dominaremos as novas ferramentas com que a meninada brinca numa habilidade invejável.

E não ficaremos tão distantes dela.

A tecnologia abre territórios fascinantes, mas também ameaça nos controlar, e se pensarmos um pouco sentiremos medo: o que mais vem por aí, quanto podemos lidar com essas novidades, sem saber direito quais são as positivas, quanto servem para promover progresso ou para nos exterminar ao toque do botão de algum demente no poder.

Exageradamente entregues a esses jogos cada dia inovados, vamos nos perder da nossa natureza real, o instinto. Viramos homens e mulheres pós-modernos, sem saber o que isso significa; somos cibernéticos, somos twitteiros e blogueiros, mas não passamos disso. E se não formos muito equilibrados, vamos nos transformar em hackers, e o mundo que se exploda.

Sobre a sensação de onipotência que esse mundo novo nos confere, lembro a história deliciosa do aborígine que, contratado para guiar o cientista carregado de instrumentos refinados, lhe disse: "Você e sua gente não são muito espertos, porque precisam de todas essas ferramentas para andar no mato e entender os animais".

Não vamos regredir, pois a civilização anda segundo seu próprio arbítrio. Mas, como quase todas as coisas, seus produtos geram ambiguidade pelo excesso de aberturas e pelo receio diante do novo. O novo precisa ser domesticado, para se tornar nosso servo útil, não nosso atestado de incompetência nem nosso perseguidor.

Assim com o computador, assim com a internet, dos quais até hoje há quem discuta se servem para nos integrar ou nos isolar, para aperfeiçoar e humanizar ou para nos limitar e cegar. Recusar-se a conhecer melhor tudo isso, defender-se atrás do preconceito contra "esses modernismos" não ajuda em nada e nos afasta ainda mais da geração que veio logo depois de nós.

O computador não é bom nem mau: isso depende do seu uso. Ele tanto nos isola quanto nos integra. As infindáveis informações nos expandem ou nos desorientam — depende da hora, da circunstância, de nós. As possibilidades do mundo virtual são quase infinitas. Sua sedução é intensa. Tão enganador quanto fascinante, no que tange à comunicação: imenso, variado, sedutor, assustador, rumoroso e ameaçador, e frio porque impessoal. Amamos acariciando as teclas, pesquisamos olhando a tela, ali no espaço cibernético visitamos os belos museus e os lugares mais interessantes, que de outro modo seriam inatingíveis.

•

Nesse mundo difuso somos quase onipotentes, sem maior responsabilidade, pois a cada ação nem sempre corresponde uma consequência — e ainda podemos nos esconder no anonimato. Criam-se sérias questões morais e éticas não resolvidas nesse território: através da mesma ferramenta que nos abre universos e nos comunica com o outro, caluniamos e somos caluniados, ameaçamos e somos ameaçados, nos despersonalizamos, nos entregamos a atividades estranhas, algumas perversas; espiamos, espreitamos, maldizemos amigos e desconhecidos, odiamos celebridades, cortamos a cabeça de quem se destaca porque se torna objeto de inveja e ressentimento, escutamos mensagens sombrias e cumprimos, talvez, ordens sinistras.

Não há regras: estamos todos indefesos, ao menos até agora. Notícias mentirosas sobre personalidades, textos falsamente atribuídos a autores vivos ou mortos, armadilhas disfarçadas em mensagens de bancos, recados sobre supostos prêmios, cobranças inverídicas que podem enganar os menos preparados, tudo isso é despejado em nosso colo junto com aprendizado, lazer, arte, comunicação e crescimento.

Jovens se suicidam orientados por sites especializados nessa macabra atividade; pedófilos encontram e seduzem crianças inocentes; uma lavagem cerebral subliminar nos transforma; nos sentimos inferiorizados se não seguimos sugestões e comandos da mídia e da propaganda. No Messenger, no Twitter, no Facebook e todos mais que houver, mesmo os mais covardes têm uma ilusão de poder.

Relacionamentos pessoais começam e terminam, bem ou mal, nesse campo virtual — não muito diferente do mundo dito real, dos bares, festas e trabalho, faculdade e escola. Com as crianças, esse universo extenso e invasivo pode ser uma grande escola, um mestre inesgotável, um salão de jogos divertido onde elas imediatamente se sentem à vontade, sem os limites de antigos hábitos que oneram alguns adultos.

Por outro lado, esse rosto oculto e esse nome falso que a internet nos oferece são um dos nossos novos refúgios, e estimulam uma expansão de comunicabilidade que de outro modo talvez não existisse, por timidez e outras dificuldades.

Comunicar-se é abrir espaços, é cortar amarras, é positivo. Porém a comunicação anônima com sinais feitos na sombra, sem verdadeiro nome nem rosto, pode ser perigosa. Favorece manifestações perversas, recados insultuosos, acusações falsas, verdadeiras campanhas de difamação e destruição, sobretudo de pessoas conhecidas, artistas, personalidades da política, embora qualquer um possa acabar alvo dessa perseguição fantasmática.

Quem, por fraqueza ou neurose, ainda vai querer o mundo real, com seus compromissos, trabalhos e preocupações, onde temos de expor a cara e o peito para receber golpes ou afagos? Podemos agir na sombra. Melhor do que a realidade é a caverna penumbrosa diante da tela do computador, do qual seremos senhores ou escravos, amigos leais ou perseguidores insidiosos — escolha nossa.

Covil de covardes ou terra de maravilhas, instrumento neutro mas empregado por contraditórios e conflitados seres humanos, a internet veio para ficar, e para ser cada vez mais aperfeiçoada.

Minha sugestão é sempre cooptar o "inimigo" imaginário, fazer dele nosso servo, para fins positivos e que nos deem conforto, facilidades, horizontes e contatos. Hipnotizados ou conscientes, temos de aprender a lidar com muitos dos frutos da tecnologia e da ciência com que nos deparamos, e buscar o suficiente preparo para ao menos acompanhar filhos e alunos nessa trilha extraordinária, seja para orientar, seja para curtir juntos, seja para aprender com eles, que já nasceram imersos nisso que para nós pode ser estranho.

Mesmo que tenham natural espontaneidade diante das moderníssimas ferramentas do mundo cibernético, para crianças e jovenzinhos o mundo, aqui encarado como o mundo dos conceitos e dos valores, ainda é informe. Quem lhe dá os primeiros contornos somos nós, os adultos. Receio, omissão, talvez crítica, servem para afastar, e tirar de nossos ombros a responsabilidade de pelo menos assistir quem é precocemente lançado no sedutor e perigoso caminho do que chamamos modernidade.

Essa é a base de qualquer educação, que busque ajudar outros a enxergar a realidade para a qual estão sendo alertados na formação da personalidade e atitude.

A verdadeira ferramenta que precisamos descobrir e aprender a manejar é o discernimento. Gosto dessa palavra e desse dom. É a capacidade de analisar, argumentar e decidir para nosso bem — nem sempre para nossa comodidade ou sucesso fácil. Mas para que a gente possa atuar, em vez de apenas se acomodar, chegando ao palco com alguma segurança, ou pelo menos com uma saudável perplexidade diante de cada porta atrás da qual nos aguarda um jogo de cena interessante, ou a sombra do nada.

•

As fomes que nos movem são a mola que leva nossa mão à maçaneta da próxima porta, atrás da qual vamos desenhar a casa da vida. É uma construção que vai se fazendo a posteriori, após esse nosso gesto. Além de cada porta está no começo um vazio que temos de preencher com escolhas: nesse momento erguem-se paredes, e vamos pegando as tintas, os móveis, as falas, as ações, o curso de toda a nossa história.

Todas as nossas atitudes são determinantes, também as mais escondidas. Nem sempre obedecemos a mitos ou enganos, mas cumprimos desejos legítimos e sonhos possíveis, como o de saciar as nossas grandes fomes: dignidade e justiça, paz e decência, algum significado para tanta confusão, prazer com as belezas e conquistas.

Nesse terreno onde há teorias e escritos de sociologia, política, direito, eu, que não sou especialista em nada, apenas tateio. Porém do meu cômodo posto de observadora — e o duro posto de cidadã, onerada de altíssimos impostos, contas a pagar, insegurança e otimismo anêmico — quero dar minha visão de moradora deste planeta, que tem algum acesso, alguma voz.

Quero expandir o conceito de fome, que é o que impulsiona o sonho: o que interessa, o cerne, o caroço, o áspero e pesado material de construção de vida, corta nossa pele, lasca nossa alma, dobra nossos joelhos. A fome, as muitas fomes. Fome de nos sentirmos bem na nossa pele de espécie pensante.

Não há receitas, neste universo de receitas até para ser feliz em dez lições a preços módicos; não há facilitadores, ainda que a gente diminua o nariz, preencha fendas, remova manchas, entorte a alma. O trabalho de nos desenredarmos das teias de conceitos e preconceitos é duro e cotidiano. Essa busca nos distingue como humanos, e, por isso mesmo, revela o quanto somos capazes e corajosos, e ao mesmo tempo falíveis, perversos, cobiçosos, ansiosos, superficiais, dramáticos, medíocres.

A fome de casa, saúde e educação, as básicas. Mas — não menos importantes — a fome de conhecimento, que fundamente nossas decisões. Fome de confiança, ah, essa não dá para esquecer. Poder confiar no guarda, nas autoridades, nos pais e no país, e também nos filhos. Em nós mesmos, geralmente com tão pequena confiança e estima por isso que somos.

Raramente acreditamos em uma política boa e ética, que poderia mudar esse quadro, nesta fase em que a corrupção é o pão nosso de cada dia, e em que ter um filho com ambições de carreira política é quase motivo de tristeza.

A questão social nos deixa temerosos e descrentes, pois não vemos soluções verdadeiras e honestas para males que se avolumam junto com mensagens ufanistas.

•

Fome de dignidade, porque muitos vivem como subumanos. Logo antes de me sentar ao computador num dia de muito trabalho, vi na televisão três crianças, de cinco, sete e oito anos, três lindas menininhas, enchendo pequenos baldes com areia. Não é pra brincar: elas estão, disse seu irmão de uns doze anos, "trabalhando". Ajudavam a família carregando areia morro acima — a prefeitura do seu vilarejo pagava por isso. Não era no Brasil, mas era perto, e com certeza por aqui temos esse tipo de crime e outros mais graves.

Essa gente não pensa em crise: do nascimento à morte, sua vida é uma escuridão de fundo de poço. Para eles, a bolsa que conta é a bolsa vazia e a falta de sentido para tudo. Conta a dor da barriga sem comida, e a da alma sem esperança.

O mal parece não ter conserto: corrige aqui, piora ali. Na mesma noite estou assistindo ao noticiário na televisão, se anuncia que morrem bebês como moscas em certos hospitais do meu país. A notícia inicial é de que morreram trinta bebês num desses estabelecimentos que devem dar e preservar a vida. Já é horrível. Logo depois, tinham morrido quase cem, e finalmente admitiram bem mais de duzentos mortos em algumas semanas.

Bebês morreram às dúzias num hospital. (Quem assiste a muitos noticiários na televisão vai adquirindo um escudo na alma, que permite todo dia seguir em frente sem querer se matar. Mas essa notícia me apunhalou.) Matam-se bebês como insetos. Herodes faria uma festa.

Eu, que penso que nada mais vai me chocar, mal acredito no que se anuncia: nem ao menos foi um caso único. Todos os hospitais ali deveriam ser fechados, mas uma autoridade local apenas disse, piscando os olhos como quem está um pouquinho insegura: "Esse número de bebês mortos em um hospital nessas condições é aceitável".

Eu estava ouvindo e vendo bem? Estava em meu juízo normal? Estava. Pois então, viva Herodes. Porém, no noticioso da televisão, os caixõezinhos amontoados em uma pequena carreta e um pai muito jovem carregando mais um como se fosse, exposto, o seu filhinho morto, não permitiam gracejo.

"Ninguém controla a vida", me dizem quando reclamo dessas coisas e de outras. Respondo que, apesar das maravilhas da medicina quando o hospital é limpo, o médico não está totalmente exausto, a enfermeira é bem treinada e os doentes em casa não vivem no esgoto ou no lixão, na nossa realidade o que ninguém controla é a morte. E que quando o professor não consegue comprar comida para os filhos, os bancos da escola estão quebrados, os traficantes controlam a rua, os meninos compram droga para os pais, e encontramos bandos de crianças pedindo esmola nas ruas ou morando embaixo das pontes, o que ninguém controla é a nossa humanidade.

Apesar disso, tudo funciona, me dizem também, e é verdade: os carros rodam, os governos governam, os funcionários trabalham, pais e mães levantam cedo, dão café ou mamadeira aos filhos, entram em seus ônibus, vão para o trabalho, vão ao armazém — vão ao cemitério. Os irmãos dos mortinhos chegam da escola, fazem seu dever de casa, vão dormir depois de jogar bola no pátio, que pode ser um quadradinho de barro com fezes e urina do esgoto a céu aberto.

E nós que lemos livros e jornais, que temos comida e saúde, fingimos que está tudo direito, que é assim mesmo, que somos quase um país de Primeiro Mundo, que a economia está ótima, o petróleo abunda e agora temos o pré-sal, a Amazônia resiste, e nós estamos vivos. Nos sentimos entediados, duvidamos de nossa eficiência, ficamos deprimidos: televisão, rádio e jornal não deviam mostrar certas coisas, tão triste tudo aquilo. Ou nos afligimos um pouco, tanta gente bandida vivendo feito reis, e tanta gente boa crucificada quando quer fazer o bem e consertar o mal.

Havia duas igrejas na cidade onde nasci: a católica e a luterana. Esta ficava perto de nossa casa: ali eu tinha sido batizada, como minha mãe e minha avó antes de mim. Nela havia dois toques de sino para os mortos: o mais solene anunciava a morte de um adulto na comunidade. Quando era criança ou bebê, o sino tangia tristíssimo e delicado. O costume talvez não exista mais, porém eu não esqueci. Minha avó murmurava: "Morreu uma criancinha. Será a de Fulana, que andava tão doente? Será o bebê de Sicrana, que nasceu fraco demais?"

Para os bebês em hospitais mal equipados, onde médicos idealistas pessimamente pagos lutam contra as piores condições possíveis, não haveria nem sinos nem igrejas suficientes. Não sei a que número já chegou a mortandade, se alguém realmente acha o número "aceitável". Como desculpa neste reino das desculpas, mencionaram-se vários fatores: ignorância das famílias, parcos recursos do hospitais, falta de médicos — o de sempre.

Ninguém, eu acho, comentou o descaso das autoridades, os desvios de dinheiro, o desinteresse, a loucura geral. Famílias feridas, pais e mães arrasados, vidas desperdiçadas neste lamaçal de omissão, que em tantos lugares deixa milhares de doentes serem atendidos em macas no corredor, sofrendo ou morrendo em salas de espera ou no pátio do hospital. Velhos, moços, bebezinhos, todos na mesma vala comum dos abandonados nas terras do ufanismo.

O que fazemos, cada um de nós?

Perguntar-se isso incomoda, um desconforto e uma melancolia baixam, como persianas que vão sendo fechadas. Devagar e sempre. Alguém vai beber um cálice de champanha pra se animar, outros correm para o bar da esquina, ou se atordoam numa festa, ou pegam aquele cigarrinho. Há quem abra a bolsa e ajude aqui e ali.

Vivemos numa era avançadíssima, e também obscurantista. Sejamos honestos: neste planeta aqui grassam grandes pestes. A desigualdade sempre vai existir, pois não somos clones feitos em série: haverá os menos talentosos, os mais inteligentes, os mais enérgicos e os menos capazes. Mas a mãe com seus filhos esqueléticos, que apareceu numa reportagem de televisão dizendo que naquele dia as crianças só tinham água e sal para se alimentar, no que podia ser em muitos dos países deste mundo que se supõe civilizados, se sobrepõe a tudo.

Aquilo não precisava existir. Não podia existir neste século que se quer progressista. Então a gente finge que a trágica notícia sobre uma realidade nossa é só de mentirinha.

A vida, ah, essa a gente devia controlar ao menos um pouco melhor. Para que os sinos inexistentes das cidades onde morrem centenas de bebês por inoperância e desinteresse não derretam de tanto bater o toque dos mortos inocentes, nossas vozes não se afoguem de dor no escuro dos quartos, e nunca mais um adolescente derrotado tenha de levar no colo, à frente de uma carreta cheia de minúsculos caixões empilhados, o corpo de seu filhinho que nós, todos nós, como sociedade, matamos.

•

Fome de segurança e fome de justiça andam de mãos dadas com confiança — pois para sermos dignos enquanto indivíduos e sociedade, é preciso justiça, cada um ter aquilo de que precisa para sua dignidade. E justiça no sentido mais explícito, as leis sensatas e aplicadas a todos. Parece que algumas são antiquadas, mal aplicadas, às vezes interpretadas por juízes sobrecarregados, policiais mal pagos, sem falar em pressões de toda sorte, e das nossas fraquezas exploradas.

É bom mexer no conceito de justiça. Os conceitos. A cada um o que ele precisa, a cada um segundo ele precisa. Ou: a todos a mesma coisa, e ver como cada um lida com o que recebeu. Ou: a cada um o que atende a suas limitações naturais, mais inteligente, mais talentoso, menos saudável, mais neurótico.

Nunca haverá um conceito geral e universalmente aceito, mas querermos justiça já é um começo. O sentimento de alguma justiça, que poderia ser a realização de valores, de momento anda com ar de utopia: não se controla a violência em nossas cidades, a difusão das drogas lícitas ou ilícitas, o crescimento da miséria, o abandono dos pobres e das crianças, a negligência na educação, a quebra geral da autoridade, dos governos às famílias — o que é justo nesse torvelinho, o que é digno?

Não acredito em justiça enquanto houver crianças brincando no barro feito de terra e esgoto em frente aos seus barracos; enquanto um dependente do INSS só puder marcar um exame para seu câncer para daqui a dez meses; enquanto crianças pobres não tiverem acesso a escolas, ou estas estiverem literalmente caindo aos pedaços; enquanto pequenas comunidades não tiverem nem como escoar normalmente sua produção. Enquanto nossos discursos ufanistas não puderem ser feitos sem despertar ironia ou causar revolta.

Não acredito em justiça enquanto políticos se interessarem mais por cargos e poder, em vez de pelo povo que os elegeu, nem enquanto negociatas forem moeda corrente num país.

Da primeira vez em que estive nos Estados Unidos, no começo da década de 80, hospedada com minha tradutora e amiga, comentei com ela e suas filhas adolescentes meu estranhamento porque ali, bairro residencial bastante isolado, praticamente no meio de um bosque, nem ao menos trancavam a porta a chave. Minha casa no Brasil tinha grades nas janelas.

Uma das meninas me olhou, espantada:

— Nossa! Eu teria pavor de ficar numa casa com grades nas janelas. Ia pensar: de que estou me protegendo?

Entre nós, o medo da violência, seja onde for, é mais do que prudência, é questão de tentar sobreviver. Quem pode, investe em proteção particular, cara e às vezes duvidosa. Antigamente (nem tão antigamente assim), narcotráfico e bandidagem eram coisa remota, aconteciam em outros estados, em grandes cidades, nas favelas. Hoje, é tudo logo aqui, e cada um de nós que acende seu cigarrinho de maconha ou cheira sua fileirinha de cocaína no isolamento de seu quarto ou numa festa animada ajuda a promover isso.

Meus filhos, há trinta e poucos anos, no bairro onde ainda moro, jogavam bola com a meninada da vila próxima até o escurecer, e ninguém se preocupava. Eram amigos: pobres e remediados, brancos, pretos e pardos, os filhos do verdureiro ou do professor. Eram apenas "a turma". Entre outras razões, porque o narcotráfico não era a potência que é agora, os movimentos contra a discriminação racial ainda não promoviam o ódio racial, e a politicagem ainda não fomentava o cinismo, e as falsas ideologias não estimulavam o rancor de classes como fazem agora.

Bandos de jovens desempregados, drogados e bandidos não vagavam por nossas ruas, crianças pedintes não rolavam em nossas esquinas, a meninada brincava na calçada e as casas não tinham cerca.

Os primeiros que botaram cerca ou muro em torno de suas casas, no meu bairro, eram considerados antipáticos. Compramos a nossa já com janelas gradeadas: a primeira proprietária vinha de uma grande cidade conhecida pela insegurança. Plantamos uma sebe florida anos depois, por razões de privacidade. Hoje, eu teria possivelmente cerca eletrificada ou altos muros. Com mais grana, até um guarda armado no portão.

•

Vivemos numa Idade Média higiênica e sofisticada: os feudos são os edifícios e condomínios (dos luxuosos aos simples) fechados, guardas nas cabines, bandidagem rondando. Nos tempos antigos eram os miseráveis que se instalavam em torno do castelo onde recolhiam esmolas ou prestavam pequenos serviços; ou extensas populações igualmente miseráveis em torno das gigantescas catedrais erguidas em séculos de labuta mortal.

(O senhor feudal de hoje pode ser o morador mais rico, ou quem sabe o síndico, geralmente o único interessado em que as coisas se mantenham num nível aceitável de funcionamento, civilidade, educação.)

Hoje, temos gente com carros blindados, crianças com motorista que tem curso de direção defensiva. Nós que não temos dinheiro para esses recursos andamos mais do que inquietos. Outro dia, um neto meu foi assaltado. Seu carrinho foi fechado por um carrão (roubado, claro): três homens armados saltaram, revólver na cabeça dele e seus dois amigos. As vítimas eram estudantes tranquilos, saudáveis, tipo "família".

Os bandidos levaram carro, celulares, carteiras. (A vida, ah, essa lhes deixaram. Devemos lhes agradecer por isso?) No almoço do dia seguinte, em minha casa, comentamos o assunto, e alguém disse: "Bastava um deles ter dobrado um pouco o dedo, apertado o gatilho, e em lugar de almoço em família estaríamos num velório".

Ficamos todos calados, estupefatos: era verdade. Não era filme, nem série policial na televisão. Era uma família comum, com velhos, jovens, crianças bem pequenas, gente que se ama, se ajuda, às vezes discute mas se curte, trabalha, dá duro, acompanha as lutas e alegrias uns dos outros. Teria bastado um pequeno movimento de um dedo indicador na noite anterior para que tudo fosse destroçado. Não um acidente, não uma fatalidade: por um segundo de mais nervosismo ou sadismo de um desconhecido num carrão roubado. Muito provavelmente ele não seria apanhado; se apanhado e preso, logo haveria de fugir, ou seria solto por falha ou descumprimento da lei.

Não podemos colocar filhos, filhas, netos, netas sempre embaixo de nossa asa protetora. Não os podemos guardar em casa. Não há como erguer uma cerca, nem metafórica, de amor e cuidados onipotentes. Não podemos — nem devemos — tentar impedir que vivam, cresçam, saiam pelo mundo, batalhem suas batalhas, construam suas famílias. É bom que façam isso: assim se expande a vida e se multiplicam os afetos que vão iluminar esse nosso lado da sombra.

Mas estamos doentes de medo, ou fingimos que isso não acontece, ou estamos começando a nos resignar. Em alguns lugares inicia-se uma busca por autoridade efetiva, cumprimento das leis (por mais anacrônicas que algumas sejam), valorização da polícia, que agiria com mais rigor, essa mesma que eventualmente fere ou mata bandidos e assassinos — ou é morta por eles. Nada mais justo do que uma polícia eficaz e dura, porque nós, os cidadãos comuns, nos cansamos de ser caçados e mortos pelos marginais feito bichos desprotegidos.

Porém há quem reclame: os policiais deviam ser menos brutais, deviam ao menos cuidar do lugar onde vão atingir os facínoras: "Quem sabe um tiro no braço ou no pé?" Tive de reler a notícia: estão brincando conosco? Imaginei o pobre policial com revolverzinho velho, mirando para o bandidão com fuzil de última geração e carrão importado e pedindo, licença, moço, vou dar só um tirinho no pé.

O banditismo floresceu por falta de autoridade e ordem, mas receio que agora qualquer rigor seja objeto de clamor dos defensores dos direitos da bandidagem, que deveriam era cuidar das vítimas. Seria preciso conseguir com máxima urgência leis atualizadas e firmes, incluindo responsabilização por seus crimes de malfeitores de dezesseis anos ou menos, frequentemente verdadeiros monstros morais. E que não lhes permitissem, não importa a idade, saírem tão depressa das prisões: a quase totalidade volta a cometer seus crimes, — e um de meus, teus filhos, pode ser a próxima vítima.

•

Animais predadores na selva pós-moderna, não se iludam os que se julgam bonitos e limpos, bons e especiais. Ainda estamos nas cavernas apesar do vidro fumê no carro e na casa, e do controle remoto para abrir a porta ou ligar a luz.

O atordoamento com as constantes descobertas da ciência, as novidades da tecnologia, as inquietações sociais, as guerras, o terrorismo e ameaças obscuras nos fazem sentir acuados, e realmente estamos. Pois derruba-se a cada dia o mito da bondade humana, em favor do pavor da violência que não nos dá sossego.

Temos medo porque não somos essencialmente bons nem basicamente pacíficos. Somos animais predadores à espreita de uma possível presa, que não precisa ser carne para devorar, mas um amigo para trair, um colega para enganar, um trabalho para realizar mal, alguém na família para agredir, ou a nós mesmos para boicotar.

Assistindo a uma peça baseada em textos meus de ficção, percebi mais uma vez quanto me impressiona a nossa capacidade para o mal, a sordidez, a humilhação do outro. Se Tomás de Aquino, um santo filósofo, disse que o ser humano é um anjo montado num porco, eu diria que o porco muitas vezes parece desproporcionalmente grande para o tal anjo.

Que lado nosso é esse, que se regala com as notícias negativas, com a desgraça alheia, com as tripas à mostra, o choro dos velhos e o grito das crianças dilaceradas por um carro, um tiro, uma bomba de terrorista ou terremoto em algum país distante? Por que notícias trágicas dão mais ibope do que as positivas?

Quem é esse, em alguns de nós, que ri quando o outro cai na calçada? Quem é esse que aguarda a gafe alheia para se divertir? Ou se o outro é traído pela pessoa amada, ainda aumenta o conto, exagera, e espalha isso aos quatro ventos — talvez correndo para consolar falsamente o atingido ou atingida?

Somos bons e somos maus: na treva do nosso inconsciente cochila o que nem sonhamos poder ser — algo destrutivo, perverso, mau.

Essa é a mão que emerge das águas escuras sob a escada rolante por onde tentamos subir ofegantes: e nos puxa para baixo, para a deficiência moral, para a autoestima rala, rancores densos, desejo de aniquilação e morte, impotência e por fim desalento.

Que coisa é essa em nós, que dá mais ouvidos ao comentário maligno do que ao elogio, que sofre com o sucesso alheio e corre para cortar a cabeça de qualquer um, sobretudo próximo, que se destacar um pouco que seja da mediocridade geral? Quem é essa criatura em nós que não tem partido nem conhece lealdade, que ri dos honrados, debocha dos fiéis, mente e inventa para manchar a honra de alguém que está trabalhando pelo bem?

O bem do outro, seu sucesso, suas conquistas, nos deixam inquietos. O porco em nós exulta e sufoca o anjo, quando conseguimos despertar sobre alguém suspeitas e desconfianças, lançar alguma calúnia ou requentar calúnias que já estavam esquecidas: mas como pode o outro se dar bem, ver seu trabalho reconhecido, ter admiração e aplauso, quando nós estamos presos na nossa nulidade?

Queremos provocar sangue, cheirar fezes, incutir pavor, queremos a fogueira.

Não todos, nem sempre. Mas em nós espreita esse monstro inimaginável e poderoso ou simplesmente medíocre e covarde. Afia as unhas, palita os dentes, sacode o comprido rabo, ajeita os chifres, lustra os cascos e, quando pode, dá seu bote. Ainda que seja um comentário aparentemente simples e inócuo, uma pequena lembrança pérfida.

Esse nosso incômodo habitante exige que se forme, durante uma vida, um acúmulo de forças positivas que nos fará mais fortes, mais inclinados ao bem, mais positivos. Para enfrentar males bem mais desumanos do que calúnias e maledicências, hoje abrigadas no vão escuro do anonimato cibernético, como o assassino que se imola para matar dezenas de inocentes num templo, incluindo mulheres e crianças, dizendo que é por idealismo.

Tanto no ladrão de tênis quanto no violador de meninas, e no rapaz drogado (ou não) que, para roubar vinte reais ou um celular, mata uma jovem grávida ou um estudante mal saído da adolescência, liquida a pauladas um casal de velhinhos, invade casas e extermina famílias inteiras que dormiam, e provavelmente, se for apanhado, receberá uma punição que nada tem a ver com seus atos hediondos, o mal está latente esperando para explodir, e não creio que como sociedade estejamos preparados.

Na vida adulta, talvez na beira do que chamam velhice, entendo melhor a impressionante capacidade nossa para o mal, a malícia, o desrespeito, a inveja, a humilhação do outro. A tendência para a morte, não para a vida. Para a destruição, não para a criação. Para a mediocridade confortável, não para a audácia e o fervor que seriam produtivos. Para a violência demente, não para a conciliação e humanidade.

Nossas leis deveriam encarar essa realidade, a do mal no ser humano. Ninguém me diga que um criminoso brutal apenas agiu movido pelas circunstâncias, de resto é uma boa pessoa. Ninguém me diga que o caluniador é um bom pai, um filho amoroso, um profissional honesto, e apenas exala seu mortal veneno porque busca a verdade. Ninguém me diga que o menino de quinze anos que estupra e mata precisa apenas ser reeducado. Nem me digam que somos bonzinhos, e só por acaso lançamos o tiro fatal, feito de aço ou expresso em palavras.

Ele nasce do porco, violento ou covarde, que busca amordaçar o anjo dentro de nós.

Enquanto isso, em nossas casas, ruas, pátios e jardins, a insegurança nos assombra e nos esgueiramos com receio de sermos percebidos pelo assaltante, ou por um drogado que já não sabe o que faz com a arma que tem na mão.

•

Somos predadores melancólicos, pois temos emoções humanas e recantos de tristeza, e é de ter medo, sim, essa realidade violenta que não dominamos. Pois não temos as habilidades de aborígines para andar na floresta, e caçar os animais ferozes ou nos protegermos deles. Estamos despreparados, de mãos nuas. A violência é cada vez mais gratuita, as leis continuam benevolentes, inexistentes. Soltam-se criminosos porque não há espaço ou comida na prisão. Soltam-se criminosos depois de poucas semanas, meses, cumprindo a pena, devido a leis abstrusas. Indultos absurdos. Quase todos voltam a infringir: mais estupros, mais assassinatos. Multiplicam-se legalmente violência e insegurança.

Nesta nossa cultura insensata, crimes pequenos levam a passar anos num desses lixões de gente chamados cadeias (sem sequer ter havido ainda julgamento e condenação); enquanto bandidos perigosos entram por uma porta de cadeia e saem pela outra, ou gozam na cadeia de um conforto que nem avaliamos, em outros presídios criminosos comuns enlouquecem em condições sub-humanas.

Muito crime, pouco castigo, castigo excessivo ou brando demais, leis antiquadas ou insuficientes, e cá estamos, cidadãos reféns dentro de casa ou ratos assustados nas ruas, a bandidagem no controle.

Não há saída para melhorar o nível de vida, a segurança, a saúde e o resto que constitui o respeito pelo cidadão, sem informar-se e, preparado, tentar mudar alguma coisa, por mínima que seja — talvez só votando melhor nas próximas eleições, tentando ler o jornal, tentando saber, querendo entender, e buscando a decência na vida pessoal e profissional — isso a que hoje estamos dando o belo apelido de "ética".

Visitei um presídio de mulheres: faz alguns anos, um telefonema da diretora do presídio feminino da cidade onde resido comunicou que estavam instalando uma biblioteca para as presidiárias. As "apenadas" queriam meu nome para o local. Ela me consultava para saber "se eu não me ofenderia com isso". Ao contrário, respondi, me sentia honrada, de verdade.

Meses depois, novo telefonema: a biblioteca estava pronta, queriam que eu a fosse inaugurar. Antes, uma visitação ao lugar. Refeitório, oficina, ateliê, algumas celas com berços para os filhos — pois várias tinham crianças pequenas e até certa idade eles podiam ficar com as mães — e a modesta biblioteca me pareceram normais.

Havia setores onde não pude entrar, imaginei que seriam as solitárias. Não acredito que fossem como as de presídios que conheço via imprensa e outros relatos, mais uma prova de que o ser humano tem um lado sombrio preocupante, pois aquilo não é decidido e administrado por psicopatas, mas pessoas no cumprimento da lei. (A pergunta seria: que pessoas, e que lei?)

Vendo minha emoção, minha acompanhante dizia: "Não se impressione demais, aquela vovozinha desdentada matou os três filhinhos da amante do marido...

aquela moça com cara de anjo esfaqueou e mutilou o marido que a traía". Mas a maioria dos casos, ela me disse, era o que chamou "crimes do coração". Mulheres de todas as idades estavam ali em lugar de seu companheiro: numa batida policial, o traficante botava a droga embaixo do travesseiro, nas roupas dela ou até do bebê, e fugia.

Apanhada, a pobre ia para a prisão em lugar dele, e em geral aceitava tudo sem o acusar, vítima de mais um "amor bandido".

No fim da visita, hora de inaugurar a biblioteca, descerrando a placa que me deixaria definitivamente ali presente em bronze. Eu, já deprimida, fiquei aflita. O que dizer àquelas mulheres, algumas jovenzinhas, outras já envelhecidas, olhos magoados de criança surrada ou duros como punhais? Eu não tinha preparado nada.

Não dou conferências. Converso com as pessoas, divido com elas minha curiosidade ou reflexões. Ali fiquei insegura, me senti pequena, quase miserável — tudo o que eu dissesse estaria errado. Pois logo eu voltaria para as ruas, minha casa, minha família. Elas, justa ou injustamente, ficariam ali por alguns anos, muitos anos, a vida toda.

Minha única saída era a sinceridade: disse-lhes sem rodeios que estava me sentindo mal, que não tinha palavras, que me incomodava a liberdade de sair em seguida, enquanto elas iriam ficar. Não me importavam, ali, nem justiça nem injustiça. Importava o que poderia lhes dizer de pessoa para pessoa.

Lembrei então a frase de meu pai para alguém que o visitava quando eu era mocinha, e me foi relatada anos depois. Estendendo a mão para as fileiras de livros em suas paredes, meu pai apenas disse: "Estes são os meus amigos".

Pois para elas, ali prisioneiras, também os livros poderiam ser conforto e distração. Porta e janela para o mundo. Aula de psicologia, de história, de qualquer matéria. Momento de beleza. Hora de chorar. Ocasião de abrir os olhos para qualquer coisa que ajudasse a diminuir a dor e dar esperança. Possibilidade de conhecimento de si, dos outros, de tudo. Entre aquelas modestas prateleiras, estava algo que ninguém poderia lhes tirar: a liberdade de pensar e de sentir, a liberdade de ser gente.

E onde poderiam saciar, um pouco que fosse, algumas de suas fomes: de sossego, de informação, de distração, de beleza, de consolo, do vasto mundo, as fomes básicas de quem pode ser livre. Fome de confiança, ah, essa não dá para esquecer, mas quem a devolveria a elas?

•

Teremos paz, a maior das fomes? Embora queira ter esperança, pouco acredito nisso, porque não somos animais pacíficos.

Se posso ser agregadora não devo espalhar desconfiança, mas, e o ressentimento, e o sentimento de traição, e Caim espiando no fundo da nossa alma? As emoções humanas transcendem a porta da casa ou a grade do jardim do edifício, e saem para a rua, vão construir os campos de batalha, as armas de destruição, os fuzis das favelas e os quartos escuros onde se preparam a cocaína e o crack.

Andamos acuados pela brutalidade que transcende os limites urbanos para lugares bucólicos que antes pareciam paraísos intocáveis. Você pensa em comprar um sítio?

Inclua nesse pacote o caseiro, os cães, alarmas e quem sabe cerca eletrificada.

Se for uma fazenda, cave trincheiras e contrate guardas. Você pode levar pauladas, seus empregados podem ser torturados, seu gado será morto ou sua lavoura destruída; alguém vai escrever com fezes algumas frases ameaçadoras na sua parede, e lambuzar o teclado de seu computador. (Provavelmente os invasores vão ficar impunes.)

De preferência, more na cidade mais próxima, rodeado de toda uma parafernália de segurança, ou lançando-se na vida (isto é, saindo à rua) com audácia de guerreiro medieval.

Teremos mais valor aos nossos próprios olhos? Neste momento estou descrente, embora batalhe por isso do jeito que posso. É dos deveres básicos de qualquer pessoa tentar a paz em si mesmo e ao seu redor, sem necessariamente desfraldar bandeiras, mas existindo e agindo como um ser pacífico (não confundam com pusilânime!). Se quero harmonia — iniciando pela família e amigos —, não devo espalhar ressentimento; se quero a paz, não posso transmitir rancor. Mas talvez eu tenha tanta raiva em mim que no fundo deseje de verdade que o mundo exploda e todos nós com ele.

Quase tudo começa, como dizem, em casa: desde quando ela era uma primitiva caverna, e nós uns trogloditas um pouco menos disfarçados do que hoje, com fomes bem mais simples de satisfazer.

Na beira da floresta de tudo que não compreendemos, atraídos por tantas possibilidades e delírios, numa cultura contraditória e incerta, somos jogados, rolados, esfolados e burilados como pedras de fundo de rio. Precisamos nos libertar, cortando, ainda que com os dentes, os fios que nos aprisionam. Com menos temores, faxinando mentiras e reduzindo servidões, quem sabe deixamos de ser tão manipulados, e começamos a fazer algumas lúcidas escolhas, que vão nos indicar nosso lugar no mundo.

E aí não importa se sou faxineira, gari, cozinheira, garçom, mãe de família, advogado, cientista, astronauta ou motorista de ônibus, se moro num palácio ou numa favela, se sou negro ou amarelo ou branco ou diferente em algum sentido: sou um parceiro e um cúmplice, não em crimes, mas em construção apesar das diferenças.

Entre paixão e lucidez também nos dilaceramos, vagamos através de camadas e camadas de conceitos e ilusões de que do nosso sacrifício depende a ordem do mundo, a felicidade dos filhos, o bem do nosso grupo, o nosso futuro e a nossa velhice, e o que vem depois dela e não queremos pensar, pois quem quer pensar na própria morte? Como todos, seguro nas mãos — e me ilumina e me queima — essa tocha de Prometeu metida entre nossos dedos ao nascer, para levarmos de lá para cá: a nossa liberdade, que é obrigação de escolher.

Escrevi no começo deste livro que cultura é o caldo onde estamos mergulhados, feito de mensagens óbvias ou subliminares, com valores muitas vezes questionáveis e em geral pouco questionados, usos, costumes, história, saber, ciência, arte, da clássica à mais popular, dramas e conquistas, destinos individuais entrelaçados, mesmo os totalmente anônimos.

Inclua-se aí, com posição de destaque, isso que chamamos política, que seria o interesse pela *polis*, originalmente a cidade grega, hoje em dia qualquer comunidade politicamente organizada, da menor aldeia às grandes capitais e ao país inteiro.

Deve-se destacar que política não é apenas algo isolado, atividade de políticos eleitos de todos os lugares e escalões: ela nasce, e se forma, no pensamento de todos os cidadãos, mesmo mais remotos, com relação a seu lugar ou país.

E, como disse alguém certa vez com grande sabedoria, para mostrar minha posição política não preciso desfraldar bandeiras, pois isso está em tudo que faço, meu modo de vestir, onde moro, como me porto.

Nesse sentido amplo, que me parece o mais importante, todos nós somos seres políticos, mesmo quem, como eu, não tenha talento, atração, entusiasmo por isso que entre nós se chama "política".

Cultura e política são parte da vida individual de cada um de nós, ainda que a gente nem saiba ler, ou nunca tenha lido um jornal, nem sequer tenha votado. Boa parte da nossa paisagem é desenhada por esses dois elementos. Acrescentem-se nossos detalhes pessoais, e teremos a vida.

O político deve servir ao povo — diga-se de passagem que povo não são particularmente os pobres e desassistidos, mas toda a população. Porém, frequentemente, assim que algum deles começa a fazer de verdade algo pelo povo, pelo bem comum, seus adversários se encarregarão de tentar destruir sua imagem ou perturbar sua atividade. A ética tem sobrevoado ao longe nossos parlamentos, os jovens andam sem ídolos, nós sem crença em quem nos possa representar, tão desencantados que ser decente parece virtude, ser honesto ganha medalha, e ser mais ou menos coerente já merece aplausos. Nesse contexto, queremos o refúgio da alienação e o alívio da anestesia.

•

A voz na sombra: — por que nos drogamos. Esse é um problema psicológica e emocionalmente dramático, uma história sombria, fala de fatalidade mas também de descaso, descuido e irresponsabilidade, não só de algumas das famílias, mas da maioria dos governos. O tema é tão vasto e trágico, com tantos aspectos ainda sem resposta nem explicação, está nas mãos de tão bons especialistas nas mais diversas áreas, que mal ouso dar aqui, numa pincelada, um pouco da minha visão (e emoção) com ele.

A questão do vício tem a ver com labirintos da nossa personalidade, atrações mortais, onde parece que a vontade individual e o maior amor de uma família, mesmo filhos, pouco valem.

Drogas faziam e fazem parte de rituais místicos, religiosos, de muitos povos, também entre antigos egípcios, incas, maias, e atualmente é assim em muitos povos ditos primitivos.

Nós, porém, que não vivemos na mata primitiva nem no deserto, não nos drogamos para termos alguma visão mística, como fez o escritor Aldous Huxley décadas atrás, abrindo caminho para que muitos inexperientes passassem a achar isso positivo e até engrandecedor. Na floresta da civilização, lidamos mal com dificuldades pessoais, profissionais e econômicas, em parte porque as sugestões da sociedade consumidora são extravagantes, nossa resistência a elas é frágil, nossa bagagem de conceitos e valores é pífia, e sofremos, uns mais e outros menos, da moderna doença do "ter de" que abordei no começo deste livro.

A adição é uma fuga para a morte: aquele que se vicia (algumas drogas viciam quase de imediato) acaba desinteressado da vida, de seus afetos, responsabilidades e alegrias.

Nos drogamos para anestesiar angústias e tristezas; nos drogamos por simples onipotência juvenil (eu sei me cuidar), influência de amigos, desejo de novidade, solidão em casa, ilusão de que vamos ficar mais liberados, mais falantes, mais interessantes. Acompanhamos a tribo neste universo tribal com música de tantãs, pretendemos suportar a dor e superar a frustração, ou imitamos algum ídolo que sabidamente consome drogas, que faz propaganda de bebidas, e queremos nos parecer com ele (ou ela), talvez por falta de opção.

Podemos experimentar uma vez ou duas; podemos usar eventualmente, e nunca seremos viciados. Para um número crescente de pessoas, especialmente moços (com idade cada vez menor), e drogas cada vez mais rápidas em viciar, esse acaba sendo o mar paralelo onde vão naufragar, com grande sofrimento de pais, amigos, amores impotentes.

Também nos drogamos porque é hábito familiar, todo mundo bebe, para comemorar ou para chorar. Para alguns futuros adictos, foi o primeiro passo, como o primeiro cigarro de maconha com o pai fingindo ignorar, porque faz parte dos ritos de passagem. Na adolescência, para muitos, tomar o primeiro porre é um ritual iniciático, entrada para o desejado e ignorado mundo adulto.

É cada vez maior a facilidade de se obter drogas chamadas ilícitas, na escola, na esquina, nas festas, nas ruas, e não só nas favelas. Prato cheio, escolha farta. A cocaína teve seu tempo chique, maconha se considera brincadeirinha, crack é (ilusoriamente) coisa de morador de rua. A moda neste momento parecem ser drogas sintéticas, medicamentos, misturas delirantes que geram viagens sem volta e rápida destruição física — em breve nem precisaremos do traficante.

Por enquanto, nós lhe prestamos homenagem a cada cigarrinho de maconha, cheiradinha, a cada crack fumado. O traficante existe porque consumimos seu produto — isso vem sendo até cansativamente repetido pelos especialistas e criminalistas. Cada vez que fumamos nosso cigarrinho de maconha, cheiramos nossa fileira de cocaína, fumamos crack, estamos colocando no cano da arma dele a bala que um dia pode matar nosso filho. Pensamento radical, mas real.

Não acho nenhuma graça na permissividade (considerada moderna) com as drogas, embora alguns países estejam estudando ou tenham implantado a droga liberada, descriminalizada, como queiram. Não se viram ainda resultados suficientes com suficiente tempo.

•

Superar qualquer adição — lembrando que entre as drogas sempre incluo o álcool — exige mais do que força de vontade: exige heroísmo e determinação pela vida inteira. O adicto em recuperação precisará estar alerta sempre. Para alguns isso pode se tornar um tormento, outros levam com mais naturalidade após alguns anos.

Algumas alavancas, como crença espiritual, medo de morrer, consciência de estar desperdiçando a vida, doença e deterioração, são em geral a base dessa mudança heroica. Um novo relacionamento que exija essa superação, a ameaça do fracasso profissional, são outros bons suportes. Uma das maiores ajudas são os grupos anônimos como o AA (Alcoólicos Anônimos). Auxiliados por terapia, medicamentos quando necessário, em casos graves eventualmente internação — segundo muitos, é o que tem mais resultado.

A família, tão duramente atingida, mesmo sendo atenta e amorosa, muitas vezes não tem capacidade nem vontade, pois se cansou, ou se assusta, ou simplesmente por descrença corta os laços com o viciado.

Além da batalha pessoal de quem quer — e às vezes consegue — controlar a sua adição, um problema concreto seríssimo é o descaso dos governos, a quase inexistência de boas instituições gratuitas para recuperação, em geral longa e complicada, as falhas na justiça, a corrupção em muitos pontos, o abandono familiar, a fragilidade da educação e a pobreza do ensino, o fácil acesso às drogas, a força dos traficantes, o tipo de sociedade em que nascemos ou o grupo em que nos metemos sem querer.

Há também casos em que aparentemente não existe nenhuma explicação ou justificativa: alguém enveredou por essa trilha noturna, e possivelmente não voltará mais. E aí nem todo o amor, a ciência, o cuidado, o acompanhamento, a medicação, poderão ajudar.

Visitei, há muitos anos, uma clínica de recuperação considerada excelente, acompanhando amigos que tinham um filho ali internado. A dor dos pais era paralisante. Foram poucas ocasiões, mas me deixaram marcas indeléveis.

À primeira vista, a luxuosa e cara instituição parecia um hotel elegante: piscina e quadras de tênis, jovens em trajes de banho tocando uma batucada, gente moça e bonita. Só depois, de perto, notei o olhar parado, o rosto inexpressivo, os sinais prematuros de desgaste físico e emocional.

A maioria retornava para lá poucos meses depois de tentar se reintroduzir numa vida razoável, no estudo, no trabalho e na família. (Geralmente não somos heróis: somos tristes.) Muitos conseguiam drogas dentro da instituição, e a mais severa vigilância dos responsáveis nem sempre conseguia controlar isso. A maioria dos médicos, em conversas francas, revelava o grau de frustração e impotência com o número reduzido de viciados que se salva, que conseguem administrar o impulso destrutivo que os dominava e estará ali sempre, ameaçador.

Não sei se há teorias convincentes sobre a razão de haver, ao lado da juventude que elabora e curte projetos pessoais e profissionais, e consegue nadar na superfície saudável da existência, aquela que, mesmo talentosa e boa, sucumbe em águas tão escuras. Talvez tenham se deixado infantilizar por pais culpados e confusos, tenham sofrido falta de limite e de autoridade paterna, ou por outro lado sentido frieza, violência e rigidez excessiva; talvez sofram de falta de autonomia e responsabilidades numa família que prende filhos quase adultos em casa, eternos estudantes sustentados por pai ou mãe.

Pode ser a questão do mercado de trabalho, pois ele se fecha para novos candidatos, sobretudo inexperientes, num insensato círculo vicioso; os mais mimados querem, imediatamente, um cargo bem remunerado, não muito cansativo, chefes benevolentes — como foram os pais. Essa prolongada infância é também — embora nem sempre — um palco acessível para a dança macabra do vício.

Porém, se há muitas ideias, não há receitas. Não se culpabilize direta e demasiadamente a família. As teorias fracassam: pais dedicados podem ter um filho criminoso, o pior pai pode ter filhos responsáveis e conscientes. Contamos com a sorte, contamos com algum bom-senso, contamos com a carga psíquica, contamos com nós mesmos nesse drama e nessa mais insensata maneira de morrer: sufocado no próprio vômito, com as veias abertas por nossa própria mão, ou pela bala, perdida ou bem mirada, de alguém enlouquecido no delírio da droga.

Muitos, eu diria a maioria, não conseguem se libertar ou controlar mesmo após várias tentativas, e não sei se a ciência tem uma explicação cabal para isso. Ao final da lista de motivações, muito mais extensa do que isso que já citei, não se pode omitir a razão definitiva, a que todos trazemos em nós ao nascer, que alguns nunca chegam a escutar, mas para outros norteia a vida e apressa a morte. Ela não tem nome, não tem prevenção nem vacina, e receio que não tenha cura.

É o inexplicável que se nega a se desvendar inteiramente, até para a mais apurada ciência e o mais devotado dos amores.

Eu o chamo voz no vórtice sombrio embaixo da escada.

•

Drogas sutis: as frases feitas são a lavagem cerebral que ignoramos mas que nos influencia. Podem não causar a morte, podem não nos transformar em robôs ou assassinos, mas são dominadores a seu modo.

Pois nem só grandes mitos querem nos controlar, não só drogas podem nos inutilizar: algumas frases bonitas, às vezes herdadas de gerações anteriores, piscam para nós como vaga-lumes malignos. Faz parte da nossa aventura das muitas portas. Devagar e sem alarde, entram em nossa vida, aninham-se entre nossos conceitos, vão fundo, e podem se tornar mais potentes do que as ideias bem formuladas e os mais lúcidos propósitos.

São as frases feitas, os clichês com seus fios pegajosos, invenções menos inocentes do que parecem: de tanto serem repetidas entram no repertório das nossas verdades.

"O trabalho enobrece" é uma delas. Sinto muito, mas nem sempre. O ócio da contemplação ou criação da arte, por exemplo, deve enobrecer bem mais. A ilusão de que o trabalho enobrece, e de que o sofrimento nos torna melhores, é uma ideia que deve ser reavaliada — quem sabe desmascarada.

O trabalho tem de ser o primeiro dos nossos valores, nos ensinaram, colocando à nossa frente cartazes pintados que impedem que a gente enxergue além disso. Eu prefiro a velha dama esquecida num canto feito uma mala furada, que se chama ética. Palavra refinada para dizer o que está ao alcance de qualquer um de nós: decência. Prefiro, ao mito do trabalho como única salvação, a realidade possível dos afetos que nos tornam mais humanos e dos valores que nos tornariam melhores seres humanos. Para que se trabalhe melhor, com mais força e ímpeto, e com alguma esperança.

O trabalho que dá valor ao ser humano e algum sentido à vida pode deformar, humilhar e destruir. O desprezo pelo ócio e pelo lazer contamina muitos de nossos conceitos, e nos sentimos culpados se não estamos em atividade.

Trabalho pode salvar, mas também aviltar, humilhar, explorar e solapar qualquer dignidade. Mesmo o trabalho doméstico realizado pela mulher para seu marido e filhos pode ser uma gentileza feita com amor, ou uma ausência de coragem sequer para pedir que os outros colaborem, para delegar tarefas a parceiro e filhos, mimados por pai e mãe como se fossem incapazes.

Na verdade, raramente ficamos melhores e mais nobres só devido ao trabalho. Um ser humano decente é resultado de genética, família, sociedade e escolhas pessoais. Quanto tempo, prazer, lazer, amizades, família, contemplação da arte, da natureza, do bom e do belo que existem neste mundo, perdemos pelo culto ao trabalho pelo trabalho, pela atividade, pela produtividade, pela competência ou pelo poder que ele pode conferir.

Quanto tem de criativo isso em que trabalhamos, dando algum espaço para o nosso lado humano? Ou, se for mecânico, quanto tempo me permito para lazer, quanto tempo eu me dou para viver, posso parar para pensar, para ter alguma alegria, para curtir o bom e o belo que afinal qualquer vida deveria permitir? Quanto sobra para os afetos, para a natureza, para meu crescimento pessoal?

O mais simples trabalho deve dar espaço para isso. Num tempo em que operários, professores, médicos forem robôs, isso não será mais necessário. Agora, ainda é. Mais do que nunca, sob tantas pressões, é indispensável.

E se esse tempo existe, eu o emprego para ser, para viver, ou para correr atrás de mais um trabalho a fim de pagar dívidas nem sempre necessárias? Ou apenas não me sinto bem ficando sem atividade? Tenho de me agitar, de rir sem alegria, de gritar sem entusiasmo, de correr na esteira além do necessário para me manter saudável, de vagar pelos shoppings quando nada ali tenho a fazer, e já comprei todo o possível, muito mais do que o necessário, no maior número de prestações que me ofereceram.

Escravos da propaganda e servos de uma culpa generalizada e sem sentido, transformamos datas que deviam ser de afeto e celebração em atormentação: pois não só precisamos ter, mas temos de cumular o outro de presentes que fogem em muito do nosso orçamento. E assim, de maneira tão simples e simplória, mais um elo no círculo infernal da nossa alienação.

"A quem Deus ama, ele faz sofrer", é outra frase falaciosa (além de tudo cruel) que pode ter consolado multidões mas, primeiro, nos traz a patética dupla figura de um senhor sádico e um crente masoquista. O Deus que cada um imagina pode ser um pai permissivo, um velhote bonzinho, um feitor cruel, um mito destruidor, uma entidade com fita métrica na mão para, após uma vida dura, medir nossos prós e contras. Mereceu, não mereceu. Visão simplória.

Aquele que faz sofrer os seus amados não me parece dos mais simpáticos. Mas a ideia justifica muita desistência, muito acovardamento, muita resignação doentia: Deus quis assim, repetimos quando crianças morrem por descuido e abandono (ou crueldade) que pode ser dos pais ou da sociedade como um todo (isto é, todos nós), quando um bêbado ao volante se mata levando uma família ou duas, quando conseguir trabalho é difícil e exigiria mais determinação, quando alguma adição nos arrasta para o fundo do seu poço e não queremos pedir ou aceitar ajuda alguma.

A alegria nos torna melhores, muito mais que o sofrimento, e o lazer e o prazer dentro e fora do trabalho nos enobrecem até onde nós, animais humanos, conseguimos ser "nobres". Não quero a vida medida em centímetros de culpa e castigo, pouco espaço para alegria, zero para a contemplação do belo, e para curtir amores.

Sou uma pecinha numa engrenagem que não entendo, mal consigo de vez em quando respirar e me sentir uma pessoa: não quero além disso um trabalho sem sentido, e um Deus sombrio espreitando na esquina para me fazer sofrer um pouquinho mais.

Essas frases feitas das quais aqui citei só duas podem parecer as mais banais, até rimos delas, mas facilmente se tornam instrumento de dominação de mentes: sofra, não se queixe, mate-se trabalhando, seja humilde, seja pobre, sofrer é nosso destino, darás à luz com dor, e todo o resto da ladainha.

•

O tempo de uma risada: corre por aí nestes dias de executivos estressados e trabalhadores sobrecarregados um novo clichê interminavelmente repetido: "Não tenho tempo". É uma das frases mais pronunciadas, desculpa para não cuidar de si nem dos outros, para não amar, para se embrutecer com um trabalho além do que exigiria uma existência digna, para não prestar atenção ao amante, ao filho, ao amigo, nem à beleza do mundo que também existe.

Gememos sob a carga às vezes excessiva e desnecessária de compromissos, para que a família viva acima das suas posses, o filho continue fora da realidade, para alimentar um vício, ou ainda porque "temos de" acumular mais bens do que poderemos desfrutar, e assim acabaremos não tendo, como disse um dia meu jardineiro, "nem o tempo de uma risada".

Fiquei pensando nessa expressão que lhe veio fácil, sem amargura, mas em mim doeu como uma pequena faca atirada de alguma distância: ficou fincada ali, no meu peito. Ele devia ter o tempo da dor, o tempo da perda, o tempo do luto, do desânimo, da trabalheira dura, da insônia e do cansaço, das mil preocupações de uma existência: mas não lhe sobrava o tempo para dar uma risada, e condições para achar graça de qualquer coisa.

Tempo de se inquietar seria bom, pois a inquietação é o antídoto da estagnação e do sonambulismo. Tempo apenas de curtir angústias, de pensar nas dívidas, de sentir falta de afeto, de ignorar as próprias ansiedades, torna-se um deus estéril. O Deus que nos faz sofrer para nos testar, Deus de sombra e dor, Deus do travamento e da desistência, foi inventado para subjugar uma humanidade dilacerada por ignorância e dúvida, e já produziu sofrimento suficiente.

Eu quero inventar deuses da bondade, da tolerância, da vitalidade, da fraternidade, do acolhimento, da claridade e do que, na vida, vale a pena da escolha nossa de cada dia. Deuses, ou um Deus, que permitam que aqui e ali a gente tenha o tempo e o impulso de dar uma risada.

Ou que tenha a audácia de arrancar o disfarce de alguns dos nossos mitos medíocres vestidos de paetês: veremos que por trás de suas máscaras que nos impressionam, e seus gestos que nos seduzem tanto, existem uns ridículos narizes de palhaço. E que, se não tomarmos cuidado, veremos crescer o mesmo ornamento em nossa cara.

Mas se a gente desmascarar alguns, com desejo de viver uma vida mais verdadeira, teremos começado a mudar o mundo.

E se não pudermos mudar o mundo, podemos mudar, por pouco que seja, nossa postura nele — ou quem sabe nos deixamos levar. Não decidir nada é também uma decisão possível.

•

"*A vida a gente é quem decide.*" No dia em que completava 102 anos, sentada à mesa de sua cozinha, ajudando filhas e empregadas a preparar o almoço, uma dama perfeitamente lúcida fez esse comentário, e acrescentou:

"Eu escolhi a felicidade."

Entrevistada, explicou que não se tratava de não ter problemas, mas de "não ter pena de si mesma, não desconfiar de tudo, e não alimentar demais a raiva, porque ela rói o coração". Quase no final de uma trajetória excepcionalmente longa, essa velha dama não se lamentava pelo que havia perdido, os amados mortos, a saúde fragilizada, não poder mais caminhar sozinha, nem dançar, mas dava seu recado: a vida, em boa parte, são as nossas decisões. E se não podemos mudar os fatos, podemos administrar nosso jeito de lidar com eles.

Obviamente boa parte disso vem de nossas disposições inatas, se fomos um daqueles bebês solares ou irritadiços, se nossa meninice foi mais ou menos favorável, se fomos suficientemente amados e nossa alma nos permitiu — ou não — perceber isso.

Mas não vejo um melhor projeto de vida do que esse: escolher o lado do sol, em vez de acompanhar a procissão dos queixosos. Querer ser o cuidador (sem vitimização) e não o perseguidor, não humilhar o parceiro ou ironizar o filho que não vai esquecer isso nunca mais.

A vida é uma longa construção: em geral a enxergamos como deterioração. Não conseguimos apreciar o outro lado, que é acúmulo, experiência, serenidade, mínima sabedoria, mais tempo, quem sabe mais bondade. Construção de emoções positivas, com porões de tristezas e um sótão de decepções, mas a sala e os quartos arejados, com portas que podemos abrir para que se revele o que ainda virá em seguida e vai se desdobrar.

Isso é o que "a gente decide".

Fatalidades à parte, somos senhores de algumas cenas do espetáculo chamado vida, podemos modificar algumas falas, interferir no roteiro, escolher o personagem que somos e com quem desejamos contracenar.

Tudo isso, até certo ponto, pois as circunstâncias, a família de origem, as opções posteriores, até o lugar onde vivemos têm seu peso, e não é pequeno.

Entre desgraça e audácia, andamos nesse fino arame das possibilidades que nos cabem, onde fomos colocados sem nenhuma preparação ao nascer.

As engrenagens do destino não seguem a nossa lógica. Com tantas ilusões infantis, que arrastamos maturidade afora, não é fácil entender que não é preciso escalar o Himalaia intelectual ou social, ser uma pessoa famosa, um homem poderoso ou uma mulher deslumbrante para que a vida tenha sentido e se atinja um grau de harmonia, que chamo de felicidade. Encontrar o contentamento não tem a ver com carteiras, cartões, medidas e pele lisa, liderança óbvia ou alta competitividade, pois a verdadeira importância é outra: é a de um ser humano atuante, a começar por si mesmo e seu grupo mais próximo, a família, depois o trabalho, a comunidade, e, sem grandes gestos tresloucados, o país e, sim, o mundo.

Não há receita nem facilitador, mas a esperança de que, no desenho às vezes absurdo da existência, haja tramas de afeto, rasgos de criatividade, força de ações — isso inclui cuidado com a natureza e eliminação da pobreza mais brutal — que nos justifiquem enquanto seres humanos.

Tenho o otimismo, tenho — talvez — a ingenuidade de acreditar que tudo faz algum sentido, e que nós precisamos descobrir ou esboçá-lo. O que nos propomos, o que extraímos do fundo de nós e de nossas necessidades para nos salvar da mediocridade ou do desespero, nem por isso será menos estimulante, nem por isso será menos real.

Mas para além do que diz a nossa cultura, exige a nossa sociedade e inventam nossas neuroses, o precioso tempo da vida fica a cargo de cada um de nós, até aquele tão decantado último suspiro.

Podemos por exemplo tirar o nariz de palhaço e construir algo real com nossas escolhas. A alienação é uma postura criminosa quando se trata de assuntos graves que envolvem ética, justiça, direitos, dignidade — que andam de mãos dadas.

Mas, dirão, eu não quero saber da proporção assustadora das crianças do mundo que passam fome, das mulheres que morrem de parto, dos jovens desempregados, dos homens desesperados, dos políticos corruptos e impunes, dos desmandos e desgovernos, das verbas de educação, saúde e moradia sendo desviadas criminosamente. O que me interessam o desmatamento, a poluição, a mudança de clima, o que me importam o crime disseminado nas ruas e os horrores da violência doméstica? Não tenho nada com isso. Mal consigo resolver meus problemas, que dirá os do mundo.

O que me importa a ética nos parlamentos ou nas universidades na política e no trabalho ou na vida pessoal, se todo mundo faz assim mesmo e a Terra continua girando placidamente?

Superar essa atitude infantil exige determinação, informação e força, e é uma verdadeira postura política (não necessariamente partidária) — algo bem mais amplo do que palanques, bótons, cartazes e reuniões de partido.

Posso exercer minha postura política sem jamais desfraldar bandeiras: a roupa que visto, o modo como me conduzo, o jeito que moro, as coisas que digo, como trato meus funcionários ou mesmo minha auxiliar doméstica são modos até involuntários de influir no meu meio. E se nunca me dei conta disso, mas a insatisfação me atormenta, é bom pensar que todos podemos mudar alguma coisa: não acredito mais em revolução social, mas em microrreformas, transformações pessoais que sem que a gente perceba influenciam a comunidade, o estado, o país.

Mas não é fácil mudar conceitos e comportamentos se isso ameaça nos tornar diferentes, por menor que seja essa diferença em relação ao nosso grupo. Queremos ser aceitos pela maioria, reconhecidos, quem sabe admirados, como em crianças queríamos ser o preferido da mãe ou do pai. Em muitas coisas seremos sempre crianças insatisfeitas em cujo inconsciente o líder da turma, o chefe do setor, o político ou o esportista assumem a figura paterna, que na nossa fantasia tem sempre razão, decide por nós, talvez até seja complacente.

Nadar contra essa correnteza da opinião alheia e a atitude da maioria exige discernimento: o que fazer, o que escolher, o que mudar, ainda que seja apenas meu jeito de tratar os outros, ou o valor que me atribuo? Exige desejo e determinação.

Mudar, por pouco que seja, faz parte da nossa pequena guerra individual e cotidiana. Superar coisas que nem queremos, projetos que sabemos falsos, atitudes aplaudidas, porém ridículas, promessas mentirosas, turmas que não nos dizem nada, aventuras sem graça. Será, mesmo no mais banal, e em qualquer altura da vida, o início de um bom aprendizado: continuar crescendo.

Eventualmente suspiramos pelo tempo em que tínhamos menos possibilidades, portanto menos conflitos, e os outros decidiam tudo. Mas a gente não participava na construção de si mesmo, abrindo portas e mobiliando quartos. Outros decidiam, outros falavam; de sacrifício, deveres, compromissos, ou do lema preferido destes tempos: a animação, a agitação, pensar é um tédio, vamos correr, vamos ao shopping que sempre é uma forma de salvação.

Ou vamos beber, vamos cheirar, vamos na velocidade máxima, vamos quem sabe nos matar.

•

Somos melhores do que pensamos ser. Só não nos contaram essa história direito. A tarefa que nos cabe, mesmo numa cultura vertiginosa e incerta, não é muito: mas a cada vez que decidimos, ou sucumbimos, ou simplesmente ficamos dormindo, move-se a máquina inteira, num lapso infinitesimal. Mas se move.

O jeito é inventar a esperança — que nem sempre é um dos nossos enganos. Novas relações vão-se estabelecendo na família ou fora dela, novos projetos no trabalho, novas possibilidades de contentamento, da próxima vez podemos votar diferente, ou começamos a trabalhar melhor porque um parafuso bem colocado pode ser um acidente a menos, uma vida a mais — quem diria?

E não faremos continência ao traficante, usando droga para suportar a vida, pela diversão ou para acompanhar os outros. Nem vamos beijar a mão do deus consumo só porque o vizinho tem, o colega comprou, a amiga da filha ganhou, ou simplesmente vimos na vitrine do shopping.

Mas como o ser humano, tantas vezes incoerente e confuso, também consegue se reformular, já estamos transformando várias coisas nesta civilização nossa, passando de vítimas a autores. Penso nos rios despoluídos, nas crianças acolhidas, nos doentes salvos, nas escolas construídas, nas pontes lançadas, na natureza em alguns lugares preservada, nas gentes que se amam e reúnem — e constroem mais do que destroem umas às outras —, e trabalham com honradez: a moça que varre o caminho no parque por onde gosto de andar torna o mundo mais acolhedor.

Não ouso perguntar quanto lhe pagam por isso, mas sei o quanto é ínfimo o salário básico de um médico altamente especializado que salva vidas numa emergência, porque a saúde entre nós não é uma prioridade.

A ideia é nivelar por baixo, porque os menos privilegiados seriam incapazes de melhorar. (Isso se aplica especialmente à cultura.)

A crueldade desse engano fica evidente num concerto de música clássica ao ar livre: a população mais simples se reúne, e se emociona. Não precisa saber o nome do compositor ou dos instrumentos para ser tocada pela arte.

Do falso populismo a um verdadeiro interesse no bem de todos, da força dos mitos solenes ou medíocres para uma consciência de nós mesmos, que longo caminho. Porém conseguimos passar da brutalidade das cavernas, da loucura das Cruzadas, da nada-santa-Inquisição, dos campos de concentração, para algum progresso nos direitos humanos. Muito pequeno, ínfimo, se levarmos em conta a fome das Áfricas e Índias, a violência no Oriente, os moradores de rua, as crianças pedindo esmola nas nossas esquinas, os mortos de fome ou frio logo ali; a solidão em nossas casas, a hipocrisia nos clubes e escolas, o desgoverno nos governos de todos os países, os homens-bomba.

E mesmo assim todos os dias, todas as horas, alguém sai da casca das ilusões e se torna uma pessoa. E através dela se descobre a cura de uma enfermidade grave. Alguma descoberta que pode destruir toda a civilização vai ser aplicada para o bem na medicina, na química, em variadas tecnologias positivas. Milhares de casais estéreis podem ter filhos. Amigos se aproximam por celular ou por e-mail, e o mundo encolheu — há quem resmungue achando que internet é invasão de privacidade, mas eu acho que pode ser um jeito maravilhoso de se dar as mãos.

Psiquiatras e psicólogos ajudam pessoas a terem a alma menos triste e a vida mais produtiva. As mulheres não precisam mais parir quinze filhos para ficar com meia dúzia porque o resto as doenças levavam quando não havia antibióticos nem vacina nem noções de higiene. E o preconceito de cor, religião ou posição social não impede mais tantos casamentos nem mutila tantos amores — ao menos imagino que seja cada vez mais assim entre pessoas civilizadas.

Estamos passando de vítimas a autores e atores.

Como todos, seguro nas mãos — e me ilumina e me queima — essa tocha de Prometeu metida entre nossos dedos ao nascer, para levarmos de lá para cá: a nossa liberdade de escolha, embora limitada. Quando ela aparece, nem sempre a pegamos, nem sempre a fazemos nossa.

Refletir sobre a nossa cultura com seus bens e seus malefícios, e deduzir razões de algumas das nossas dificuldades, pode ser um sobressalto. Mas pode ser criativo, e criar não está limitado aos artistas: cada um de nós cria sua hora e sua honra, seu dia, sua existência. O problema é que essa criatividade natural a todos nós é ameaçada de boicote porque temos à disposição, ainda no sistema "pronto para servir", incontáveis respostas falsas que seria muito mais fácil seguir.

Pendurada numa ilusão de liberdade, minha imaginação voa no vento enquanto eu dou grandes braçadas num mar de coisas por entender. Contemplar e observar me sequestra para fora do concreto trivial considerado lógico e necessário. Assim faz a bruxa que remexe o caldeirão da linguagem querendo falar — não explicar.

Explicações demais trazem desinteresse e tédio, e o tédio é meu maior inimigo.

Mas nada é inteiramente ruim se me faz questionar valores para os confirmar ou modificar. Com sorte e otimismo, com amargor ou ceticismo, cada um inventa a sua própria teoria, calça os seus sapatos, busca seu rumo, abre (ou não) a próxima porta.

E vai nadar contra a correnteza.

•

"*Escolher a prisão* em que ficamos já é um luxo", me diz alguém. A frase tem um toque de amargor, mas me fez pensar sobre não termos de escolher necessariamente um palácio ou um *resort* chique. Nem escolher nada diferente disso que temos. E nem sempre amarras são negativas: algumas nos prendem ao porto, nos servem de âncora, compensam voos delirantes demais, que não nos levariam a lugar nenhum.

Imaginei um prisioneiro cuja cela tem paredes brancas e só no alto uma janelinha. Alguém lhe manda de presente uma caixa de tintas e alguns pincéis. Então começa a pintar na parede da cela uma bela porta, toda elaborada, com vitrais, e um belo dia entra nela.

Onde está agora esse prisioneiro?

No palco dos seus enganos, ou numa vida mais real, que ele quis, no seu tipo de liberdade? Integrou-se ou se alienou? Alienar-se do ruim não é melhor do que adaptar-se ao mau? Nos aposentos da vida que elaboramos com grande dificuldade, ou que descobrimos, talvez esse homem não precise da tecnologia de ponta no computador e no celular. Lá quem sabe não lhe interessa ser o mais rico, poderoso, competente, ou a mais bonita, mais bem-vestida, mais sedutora.

Nessa nova paisagem, ele pode ser só uma pessoa — de olhos abertos, ou até vendado, mas não mais anestesiado. E também com seus erros, que correm como degraus para o lado certo de subir.

Parece um interminável trabalho de formiguinhas — e é. De heróis também. Pois reconhecendo perigos e mitos, abrindo algumas portas certas, exercendo o nosso ainda que limitado direito de decidir, de crianças passamos a guerreiros. De servos, a cidadãos. De meninos frívolos, a seres pensantes. De estéreis e confusos, a autores e atores do nosso roteiro, com papéis bem melhores do que o de tolos buscando subir uma escada rolante pelo lado errado.

Nossas ilusões não são sempre deuses benignos: em tantas digressões que fiz aqui, refleti um pouco sobre nossa condição de adoradores de mitos modernos, que vão de tolos a trágicos, que podemos desmascarar ou continuar venerando — opção nossa dentro de nossas limitações.

Algumas podem ser superadas, outras vão nos condicionar para sempre, talvez porque combinem com um jeito nosso que veio em nossos genes, nada a fazer. De qualquer modo, isso seremos nós.

Mesmo no desconforto de uma cultura ambígua e uma sociedade contraditória, que de um lado chama, do outro rejeita, aqui estimula e ali esmaga, sem grande plateia nem aplausos frenéticos, a gente acaba cumprindo a tarefa que chamamos viver. Sustentada pela esperança e ameaçada por artifícios que nós mesmos inventamos, na complexa civilização que estamos criando — da qual podemos eventualmente nos reconhecer como agentes parcialmente livres, parcialmente lúcidos, parcialmente capazes.

Tudo parcialmente, porque além do azar e da sorte, dos genes e das circunstâncias, de nossa coragem ou nossa covardia, existe o que chamamos fatalidade — mito ou realidade contra a qual não podemos muito.

Mas no pequeno papel que nos couber nesse grande teatro, a gente pode tentar o possível em cada momento, ainda que tendo de ajeitar os óculos para ver melhor por cima de um nariz redondo e vermelho.

Ele pode ser removido. Pode ser guardado para outra ocasião. Pode ser substituído por máscaras esplêndidas ou engraçadas a cada vez que formos trabalhar em um novo cenário, com todas aquelas portas: algumas reais, outras só fingidas — isso teremos de descobrir. Atrás de cada uma delas, a cada dia de cada vida, realizamos um trabalho a quatro mãos: nós e o velho amigo-inimigo chamado destino, abrindo e povoando um espaço que a cada gesto e pensamento nosso se expande e se ilumina, ou se apaga na neblina dos desejos inúteis.

Essa é a nossa múltipla escolha.

Simples assim, complicado assim.

5 | *Cena final*

Postei-me na beira do palco:
terminada a última cena
e a derradeira fala,
o gesto final concluído.
Dobro-me em dois para agradecer,
pois me aplaudem:
pareço uma criança pronta para entrar
numa casa nova.

Se eu erguer o rosto e abrir os olhos,
se pedir papel e caneta
ou meu computador,
poderei reescrever tudo ou parte
do que fiz.
E todos os palcos em todos os teatros
do mundo
terão nessa hora um espetáculo novo.
Pois cada sopro de voz aqui
e cada gesto que se desenha
reverberam por todos os quartos
que se expandem
e corredores que se desenrolam,
na renovação do sonho
e completude do círculo
— para o sempre
do sempre
amém.

Um palco é uma escada, um corredor, um poço: está ali desde quando nascemos, com chão firme ou lajes escorregadias — que no correr do tempo a gente vai transformando numa cadeia de tentativas, erros, acertos e acasos.

O que se abre para nós junto com cada uma dessas portas — o que ali vai se desenrolar por decisão nossa, seja ela vitória ou desastre —, que aposentos vão se elaborar, em que pátios vamos caminhar, em que águas vamos nos afogar, talvez?

Vamos encontrar material previamente depositado, ou seremos depois boicotados pela fatalidade, nessa tarefa de ordenar espaços, colocar assoalho, erguer paredes, abrir janelas (e mais portas), inventar personagens além disso que seremos?

Talvez haja insetos rastejantes que têm de ser eliminados, vozes e recados que não entendemos (há que apurar o ouvido), olhos nem sempre bons espreitando no escuro (vai ser preciso também instalar alguma luz).

No ar, pendendo sabe lá em que estrutura apenas esboçada, está o nosso roteiro a ser cumprido: cada um do seu jeito, conforme nossa visão e informação, possibilidades e projetos. Sem esquecer a coragem para escolher, a cultura em que estamos metidos, as leis a que nos submetemos e as vezes em que soubemos escapar do comodismo.

Há que ter alguma coragem. Há que ter algum sonho correndo nas veias, e um grão de loucura faiscando na alma. Ou apenas desejo de viver a vida em vez de ser arrastado por ela como uma criança puxa atrás de si, na poeira, um brinquedo sem graça.

Mas nós temos graça. Nós fazemos a vida. Falhamos em muitas decisões (portas soltas nos gonzos, portas que dão em lugar nenhum, portas que não abrem) e isso vai da ideologia ao emprego, ao lugar onde morar, ao amigo e ao amante. Mas a gente sempre pode reavaliar alguma coisa.

(Não tudo: a vida não é tão generosa assim.)

Por cálculos malfeitos desperdiçamos tempo e experiência — mas se não formos nem tolos nem rígidos demais, se o pessimismo não nos dominar, podemos ter um amor bom se perdemos o que estava ruim, ou foi roubado pela morte. Podemos ter uma vida nova, se deixarmos a outra, tormentosa e falsa. Podemos ter um novo projeto de trabalho (até ganhando menos), se o anterior não nos satisfazia mais.

Podemos mudar um mínimo lapso que seja até mesmo do universo, ainda que ninguém perceba, nem nós mesmos, porque estamos cegos para a importância do mínimo.

Aprendemos que, por mais que os tempos mudem e os costumes se alterem, as emoções humanas continuam as mesmas: da Coreia à Finlândia, do Congo a Amsterdã, todos queremos significado, segurança e harmonia.

Podemos nos anistiar se erramos feio, se fomos medrosos, quem sabe cruéis. Podemos — e devemos — ser indivíduos para além do que nos quer ensinar nossa cultura, para além do que ordenam nossos governos, para bem além das propagandas, das regras e convenções da nossa tribo, todos nós querendo um acomodado rebanho fácil de comandar. Querer decidir, não sempre aceitar, exige audácia e fervor — gosto dessas duas palavras.

Um dia estaremos diante da porta de todos os enigmas. Essa em geral nós não abrimos: ela, devagar ou sôfrega, abre-se e nos engole e nos vomita do lado de lá, chamado morte; que, como a nossa vida, vai-se construir a partir desse momento.

A quem achar que sou demais romântica, ou demais pessimista, direi que nem uma coisa nem outra: escrevo sobre a morte porque desejo a vida, e sobre a dor porque acredito na possível alegria. Falo das minhas preocupações porque tenho esperança; espreito a sombra porque acredito em alguma claridade que justifique o universo. Comento dramas familiares porque considero esse núcleo o nosso chão para sempre.

Este é mais um livro meu de indagações, como são os romances, e até mesmo os poemas: o que fazem de nós o nosso grupo, a nossa sociedade, a nossa cultura e tudo afinal? O que fazemos com eles, deles, cada um de nós sendo uma gota de realização ou de desperdício?

Somos fracos, somos poderosos, somos assustados mas nunca completamente bobos. Eu acredito nisso. Antes que tudo desande, antes que tudo acabe, seremos mais do que escravos carregando de um lado para outro, sem saber por quê, cenários de uma peça que nem terminou de ser escrita.

E se concluída, não teria nada a dizer.

•

O boneco do começo *deste livro move-se melhor agora: conseguiu desatar os fios que o prendiam. Limpa o pó da roupa que parece um uniforme de prisioneiro; ajeita-se, empina o corpo, ergue a cabeça desproporcional.*

Passa a mão nos raros cabelos espetados.

Ainda é meio desengonçado, e inseguro, mas abandonou os disfarces, deixou de lado as falas decoradas. Agora vai pronunciar as suas palavras, sem obedecer a nenhum diretor além de sua própria vontade. Pode murmurar, gritar, cantar. Não há marcações nem roteiro, mas a inquietante liberdade de poder optar.

Ele pode até ficar em silêncio para escutar outras vozes, as vozes do mundo.

Vejo que observa as muitas portas: algumas não se abrem apenas sobre salas de papelão pintado ou aposentos com alçapões, mas sobre pátios, cancelas e caminhos. Embora seja tão pequeno, tenho esperança de que escolha a saída melhor e o lado certo da escada; que não se deixe mais enganar.

Mas não estará fazendo isso pela sociedade, nem pelos outros, não para se acomodar nem para ser um membro da tribo: simplesmente por entender que nem tudo são enganos.

E, como afirmou um personagem meu,[4] quando alguém resolve não pagar mais o altíssimo tributo da acomodação, mas construir e viver sua história, está pela primeira vez para si mesmo dizendo ***sim.***

---

[4] *O ponto cego*, romance, Record, 2003.

Este livro foi composto na tipologia Electra, em corpo 11.5/15.5, e impresso em papel Chamois Fine Dunas 80g/m², no Sistema Cameron da Divisão Gráfica da Distribuidora Record.